U0124142

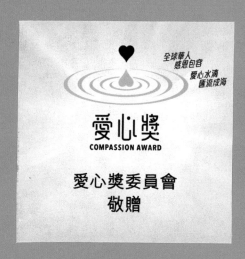

全球華人
感恩包容
愛心水滴
匯流成海

愛心獎
COMPASSION AWARD

愛心獎委員會
敬贈

心安靜，世界就安靜，
心和平，世界就和平，
心不病，世界就不病，
心歡喜，世界就充滿歡喜。

隨便想想 2.0

花·隨意開·鳥·隨意飛·心·也隨便想想

林蒼生◆著／李蕭錕◆書畫

敲響覺時代的鐘聲

　　與其說林總裁是一位企業家，不如說他是一位「企業思想家」。更深層地來看，他更是一位生命的思想家、實踐者。

◑ 以「清富思想」開創幸福之泉

　　林總裁所提出的「清富思想」，正是他實踐身為企業導師，對企業家所提出的成功心要與身心修鍊教學架構，不只教導大家如何經營成功的企業，更告訴大家如何身心統合，擁有成功而幸福的人生。他深信：「著重身心靈的管理，使企業充滿正能量的文化，這才是一個企業能否永續經營的竅門所在。」這正是對當代及未來企業家的真性導引。

　　林總裁優美流暢的文筆，深入淺出的譬喻解說，點出清富思想始於回觀自心：「清富的清，就像清水的清，水清可以見底，心清才能看清自己的心境……只要保持身心靈的一以貫之，不扭曲，就能引發心安理得，知足喜樂的幸福感。這幸福感的溫馨，才是人類本有的福祉。」孔子的「格物」，講的正是這個道理，進而發展出儒家八綱的核心思想：格物、致知、誠意、正心、修身、齊家、治國、平天下。2011年，我應邀到中國徐州傳統文化學校講學時，曾寫下一偈：「發願明自心，修身齊家成，治國平

您好，和平國際與您分享統一企業集團　前總裁／董事 —— 林蒼生先生最新著作：《隨便想想 2.0：台灣應以其文化素養，來引領人類往前走》，承蒙您對本書的支持，敝社深感榮幸。

　　林總裁藉此書呼籲：以台灣人特有的祥和文化基因融合科技優勢，用清富的心態進一步引領企業家，一方面使公司成為有益社會的企業，一方面也能保持心靈的安靜。若能將清富思想普及於世，則世界和平必指日可待。

　　林蒼生總裁歷練豐富、學養深厚，本書實為其生命智慧精粹，期待您展書閱讀與作者同遊於物之初，暢通心中智慧之流，在日常繁忙裡，共體「覺時代」無窮心量之益。

敬祝　平安喜樂

董事長　胡明威

新書購買 請洽：
｜博客來網路書店｜MOMO 線上書店｜誠品（網路／實體門市）
｜金石堂（網路／實體門市）均有販售

大量訂購及其他特殊需求：
+886-2-22696367 #237　賴心怡 小姐

漢湘幼福文化事業群　Ⓟ 和平國際

購書單

訂購書籍	訂購本數	訂購金額
《隨便想想 2.0：台灣應以其文化素養，來引領人類往前走》 作者：林蒼生	本	定價　折，共 $

訂購資料

訂購人：	訂購人電話：	訂購人傳真：

訂購人地址：

收件資訊（　）同訂購人

收件人姓名／職稱／單位：

收件人電話及分機：

收件人地址：

發票資訊

發票開立： （　）是（三聯式，須提供發票抬頭與統一編號） （　）否（二聯發票，若需抬頭可填)	發票抬頭： 統一編號：

價格與匯款資訊

款項請匯入下列帳號，匯款後請通知「匯出日」及「帳號後五碼」

銀行代碼：108 陽信銀行中和分行 戶名：漢湘文化事業股份有限公司 帳號：02342-000956-7	訂購說明： 定價 450 元 100 本以下 7 折 101 本以上 65 折

備註：

◎ 訂購單填後請回傳至(02)2269-0299

或洽詢專線(02)2269-6367 #237 賴心怡小姐

繳費後，為加快處理作業，請將繳費收據回傳 (02)2269-0299，

本社收到傳真後，會儘速將書籍連同發票寄給您指定之收件住址，謝謝！

天下，覺悟諸眾生，淨佛國土圓，有情大覺證。」從平天下到覺悟眾生，以成就清淨佛土到圓滿眾生成佛，正與林總裁有著一貫的心知。

　　林總裁認為，二十一世紀是人類身心靈重新整合的世紀，從企業家身心的昇華，進而影響全世界。他提出「清富思想」，呼籲企業心靈與社會責任的重要性，而日本經營之聖的稻盛和夫先生則以「敬天愛人」作為企業家慈悲利他的核心精神。2015年，稻盛先生訪台，我著成《地球企業家之道》一書，譯成中、日、英三種語言，送給稻盛先生及來台的數百位塾生，當時即由不丹前總理吉美・廷禮閣下、前副總統蕭萬長先生，及林總裁共同為本書推薦，期盼更多具足慈悲與智慧的地球企業家，一起攜手改變世界。

◑ 宇宙與身心統合的實踐者

　　我與林總裁相知約有35年，他總是對我所從事的提昇心靈文化、社會公益事業，不餘遺力的支持。總裁看著我十分困勵的從事覺性的創新行動，曾十分感慨的對我說：「你宛如佛教的石磨心一般！」（台語）當時，雖然總裁因公忙碌，我們也

鮮少會面，但是他那麼的提攜與支持後進，一直有著極深的相知相惜之情。

　　總裁不只是提出清富思想，更是身體力行的實踐者，而這一切源於他生命深層對宇宙與身心統合的完整認知與實踐。我與總裁深刻結緣的時期，是總裁退休之後。熱切探索心靈和宇宙實相的他，於2016年起陸續參與了我所講授的《華嚴經‧賢首品》、《開悟碧巖錄》、《大日經》等課程，他認真聽講、勤作筆記的身影，成了課堂上動人的心靈風景。

　　而他全心投入的認真參究，在其上《開悟碧巖錄》的一段自述中可見一斑：

　　「昨天，日本回來未及吃飯就上課去，被課堂上老師又叫又唱又風趣的解說，轟炸得疲累全消。雖然如此，似懂非懂的疑波使我夜半半醒，一直在半夢中回味非懂的疑波，於是又來打油心得，云：『禪話盡是無理頭，春來不花話雪花，切斷瀑布無劍影……』

由此入定，由彼出定，正是圍期三昧。

然後就接不下去了。

半夜起來喝水，迷糊中未拿好瓶，不鏽鋼的水瓶掉下，kian 地一聲，忽然響徹雲霄，心中晴朗，第四句自然而來，云：『 石火光中是故鄉！』」

在聽聞《華嚴經・賢首品》時，他聽到「由此入定，由彼出定」的海印三昧，非常震撼，而寫下感悟的詩篇《在星光中出定》：

……

想像在一個點中有自己以及世界的全部
在其中
大家像乘著鐘聲
遠去
想像鐘聲的消失
細微再細微
好像有　又好像沒有
原來　這就是我們自己

我們很真實地在這裡
像北極星
是一切的中心
放著光
也在光中沒有了自己」

❶ 大佛和平地球運動的推手

　　除了精勤修行「獨善其身」，林總裁也有著「兼利天下」的
熱情，積極推動世紀大佛和平地球運動。

　　世紀大佛，是金氏世界紀錄最大的畫作。2001年，巴米揚大
佛被塔利班炸毀，當時我思惟著：「如果是佛陀會怎麼做？」於
是，我發願畫一幅100公尺×100公尺的巨佛，讓佛陀永遠和平
與非暴力的精神永垂不朽。我開始不斷的構思行動，投入了長達
十七年的大畫實驗。

　　2015年中秋，當時全畫白描階段完成，依據圖像需求而調
整成高166公尺×寬72.5公尺，總面積超過1.2公頃的世紀大佛，

首次全幅展開，進行線條校正後，才能進入上彩的階段。當時林總裁專程南下高雄展覽館，瞻禮「世紀大佛白描現身」，心中深有所感而為文：「洪老師說，畫佛像必須放鬆、放空、無念，在無念中運筆。吾知此事甚難，故寫此文。（指：《大佛詩篇》）」

把大佛化為小佛，寄給每一個人。

2018年，世紀大佛全畫完成，伴隨著世紀大佛所發展的「和解台灣、和平地球」運動，也在林總裁的積極奔走之下成形，他力邀金仁寶集團許勝雄董事長出任主任委員，許董又邀請前立法院院長王金平先生擔任榮譽主任委員，共同號召台灣企業界、宗教界，共同參與支持「大佛拈花 —— 覺性地球文化節」世紀大佛展出活動。

大佛全畫加上FRP框架，總重量超過三十五公噸，史無前例地懸吊於高雄展覽館穹頂展出，各宗教、文化、藝術團體，在「大佛的天空下」進行各項心靈、藝文活動，五天參與人次突破十萬人。林總裁率先發起推動大佛「和解台灣、和平地球運動」，厥功甚偉！

2019年，世紀大佛經金氏紀錄認證為世界最大畫作，金氏紀錄承辦人員感嘆地說，在他們有生之年，應該很難再看到有人打破這個紀錄了。這時，林總裁開始思索，如何讓大佛化為無數小佛，讓覺性走進每個人心中。

◑ 敲響覺性鐘聲的思想巨浪

　　2020年，全球新冠疫情大爆發，2021年，台灣遭逢世紀大旱，台灣與世界正面臨著前所未有的驟變。林總裁和我共同發起召集「覺時代‧地球咖啡館」論壇，期待以台灣為起點，聚合地球菁英，從經濟、政治、人文、宗教、科技、藝術、教育、環境、平等、公益等各個面向，提出睿見。

　　林總裁在大學時就創辦了Σ（西格瑪）社團。他說，Σ是A＋B＋C＋……一直加下去，希望大家都聯接起來，便可以到達無限。「覺時代‧地球咖啡館」論壇，與總裁的初心不謀

而合，希望以眾人的心願與集體智慧成為地球的覺性智庫，為人間大未來獻策。本書中「覺時代，沒有聲音的鐘聲響了」一文，正是林總裁作為「覺時代・地球咖啡館」的領鋒之作，發表於中國時報。

　　《隨便想想2.0》是林總裁生命智慧的豐美果實，也是敲響覺性鐘聲的思想巨浪。欣聞本書出版，祈願能作為無數人心靈指引的明燈，滙聚成正念量子雪球效應，使人間走向覺悟、幸福的黃金新世紀！

地球禪者 洪啟嵩

覺醒的鐘聲，如花。

推薦序

　　記得在1999年9月世紀即將交替的晚秋，我有幸陪同林總裁赴歐洽公，周末途經威尼斯，不免其俗的前往聖馬可大廣場親歷一觀。途經一家精品藝廊，我倆不約而同地被一件以畢卡索抽象概念所設計的精緻玻璃藝品所吸引，我倆都很喜歡，便千里迢迢地將其運送回台，並置放於總公司的展示廳。我的喜歡是因為藝術品精美的工藝和豐富色彩；但林總裁欣賞的是這個藝術品所展現出世紀交替的對應相生之道。根據這個概念，他隨後在千禧年的交替之際，演繹出「千禧之愛」的概念並揭櫫「尊重生命；親近自然；彼此關懷；樂觀進取」的精神。除了隨後以此信念所成立的健康基金會之外，一直到今天，集團的很多實務運作都還圍繞在這個大愛精神中，不斷的在精進並優化我們所從事的生活產業。隨後陸續閱讀了他很多文章後，才漸體會出他的三觀早已蘊其胸中，所以即使是一個我們只懂觀其外象的玻璃藝品也能使其激發天人之道。

　　同時也寫得一手漂亮鋼筆字的林總裁學識淵博，見聞識廣，禪佛釋道然然通曉，陰陽易理諸諸涉獵，算是各家精髓都能融會貫通，展現於思路也自然可以信手拈來的旁徵博引，對比東西，縱橫古今；穿貫南北。時而形上；時而世俗；或論物質；或談心靈，對於初讀的人或許覺得不易領悟，然若細品體會卻可沉浸。

究觀其思維雖廣，但精神實則一致，就其原意宗旨不外乎就是期勉天下蒼生能夠身心靈的協調與平衡，內境追求寧靜清淡，心存善心正念；展現於外的就是積極能量，樂觀進取而已。就此而言，其所引用的中西哲理及文化全不相悖，天人智慧與紅塵萬丈更是相輔相成，證明人類古老先賢的智慧，不分古今中外，其實皆能在宏觀宇宙永恆中得到印證。

人皆擁有七情六欲，是個很複雜的動物；而一群人聚在一起就成了社會的紛紛擾擾，所以說做人難；生活更難，然而在這些不容易中還是有些日常的道理可以實踐，所謂天有天道；人有人道，離開了天地人的均衡，就引發身心靈的失序，所以社會就有紛爭；世界就有動盪。但若我們多一點細心，卻會發現並體會出日常社會所普遍接受並習以為常所運行的做人做事道理，其實都是有深厚的學理體系可以追溯。即以中華文化為例，由堯舜以降所宣揚力行的儒家思想核心，談的就是仁、義、禮、智、信、忠、孝、悌、節、恕、勇、讓等，及至宋明時代的大儒開始，程朱理學更是系統性的演道談心，經過了陸象山再到王陽明而集大成。王陽明的「吾性自足」，在石窟中的苦思冥想的頓悟演化成所謂的儒家心學。向外能格物，對內能自心，呼應了孟子所謂的性即理，也就是人性本身，體現了人的本質，這個本質就是理，

11

也就是所謂的四端：惻隱、憂惡、辭讓、是非。這是人的本質，不受外界所干擾，是與生俱來內在的一種同情感受；一種是非標準；一種謙懷態度；一種羞惡自省，這本是為大部分人所接受的道理，也正是西洋哲學史中所歸納出來有關真、善、美、聖的人生中的四項重要課題。而林總裁本立言精神，將這些深奧卻又生活的道理以一種包羅萬象，東談西喻的筆觸，就是希望用最簡單的生活體驗來演繹身心靈的中和與平靜，其姿態應也是一種平常心吧。他的文章所透露出的智慧往往就是一個簡單的「驀然回首，那人正在燈火闌珊處」的化繁為簡，也就是懂得惜福感恩，善待周遭的人事物，讓自己有能力來幫助更多的人。以其過去閱歷的多彩多姿，描繪這種心境猶見貼切。

　　身心靈的融合是天下普遍的天理，都蘊含在具體的事事物物之中，萬事萬物皆為天理的呈現，知易行難，唯在有心而已。我對林總裁絕不陌生，他是我的長官，也是我的導師，在我眼中是一位思想者、企業者、教育者，在我人生的道路以及企業的經營上給了很多的啟發和牽引，我很佩服他在退休後仍願意以筆觸來分享智慧並傳播於眾，而且啟筆之後更能保持定期付稿，這種毅力真的很不簡單。他邀請我在他文章成冊上也能談談自己的心得，本來覺得心虛，因為雖然覺得其字字有理，但總覺境界仍顯

凡事，只是平常心。

不足，很怕滲透不了他的真正智慧，但是他鼓勵我用平常心就好，這個平常心講得真好，讓我頓時也膽子大了起來，覺得能就他的文章聊聊自己的體驗是件很榮幸的事情！畢竟所謂平常之心就是一個莫忘初衷而已！

勉人勵志的立言從來不少，但是能讀到這麼有智慧的平常心卻是幸運；若能再將這種平常心用於日子中的處事接物，將更是一種福氣，祝願我們都能有這種福氣，值此疫情肆虐，人心難免更加惶恐浮動之際，願頁頁哲理，或可助我輩更能見眾生！

大道如人心，萬古未嘗改，天道其實不遠，就在我們生活之中，這應該也是林總裁的平常之心，也是我們大家的平常之心吧！

統一企業集團董事長 羅智先

2021年5月謹于台南永康

探索 7-11 與 Starbucks
背後的靈感宇宙

「傾蓋如故」，正可恰如其分地形容我和林蒼生總裁的緣分。

好多年前的一場冠蓋雲集，我們彷若對角線上的兩個端點，一開始毫無交集可言，我是略顯曲高和寡的文創產業代表，他則是閃著7-11與Starbucks光芒的統一總裁，他主導引進的兩個國際品牌，讓「人手一杯咖啡、轉角一碗泡麵」的台式都會生活方式成功深入到2300萬台灣人的日常作息之中。

然而，席間主辦單位安排我發表了一段談話，提及關於左腦右腦的開發與協作，會後林總裁突然從會場另一端向我走來，劈頭就告訴我左腦右腦是他的研究範圍，又經過一番機鋒交錯的長談深論，我才明白原來林總裁在咖啡泡麵的人間煙火之下，隱藏著一種別有天地非人間的靈感宇宙，我相信99％的台灣人每天用他引進的生活方式過日子，但99％的台灣人無法觸及他靈魂宇宙的萬一。

　　何其有幸，我和他有著某些相似的背景，才得以一窺林總裁的靈感宇宙的一點堂奧，因為年輕時代的我們都不屬於符合傳統定義的追夢少年，他辦雜誌、我組樂團，成年之後又各自在商界一番摸滾打爬、開疆闢土，所幸我有信仰、他走靈修，我們都願意在業績利潤之外，探索一個超越身心的思想時空。

　　這本《隨便想想2.0》我認為是林總裁在這個全球慘遭疫情所困的後疫情時代，送給全人類的一份心靈禮物，當我們手捧一杯咖啡、或吃著便利超商的麵包與關東煮，不妨閱讀一下林總裁的靈魂宇宙裡那些關於量子、覺醒、生命、內在與自然的感悟對話，相信您手中的咖啡與嘴裡的食物，都可能連結到另一個靈感層次，從此一飲一人間、一食一宇宙。

法藍瓷創辦人 陳立恆

作者序

　　退休之前，我的工作繁重，心思大抵向外。退休之後一切放下，心思逐漸轉向內在。在五十年社會生涯中，幸虧得遇南懷瑾老師的提點，使我在內在與外在之間，有了個平衡的依止。這是佛法的巧妙，也是我退休之後，身心的重要依歸。

　　從此，我不戴領帶、不戴手錶、沒有行程，完全是山中無甲子的退隱模樣。看山看水、賞花玩月，是每日功課。但，本性難移，喜歡胡思亂想的毛病，常又在散步時出現，跟以前不同的，我思考的竟是台灣。

　　我不談政治，但見台灣得天獨厚的人文素養，少有人關注。我開始研究台灣、思考台灣的未來。台灣地理位置優越，不應成為東西矛盾的中心，而應以人文、科技的優勢，來促成世界和平的未來。

　　我開始在聯合報把想法寫出來。才登了幾篇，便感覺到，我不是領導人，光談書生之見沒用。我將心思轉向企業家。我寫了多篇「清富」文章，想借顏淵的「清貧」美德，轉成「清富」的觀念，以配合現代經濟社會、企業家的需要。

　　<u>清富是古來美德的現代化。</u>人類的心靈很容易被腦筋影響，如何使兩者和諧共進，是每一個人的修行功課。我們如能一方面「腦筋跟上時代」，一方面仍保持「心靈貼近自然」，自然而然，事來心現，事去隨空，自己永遠在內在中不離本心。本心是自己未生時的本來面目，是惠能所說「不識本心，學法無益」心靈的最初。

　　文章中我也談了些東西方思維的差異。世界很大，本來東西各安一方，如今地球村的時代到了，我們必須儘速探討使東西融洽接軌的方法，而非任它激化對立。而且，現在已是形而上思維凌駕物資的時代，我們對東西文化根源的差異，必須有進一步認識。

　　東方人比較幸運，大洪水時，我們的祖先逃到黃河、長江一帶，在心智上忽然有個大躍進。舉凡車輪、漁網、織絲、天文、音樂、文字……接二連三，被發展了出來。皇帝親耕、皇后親蠶，一片祥和景光。而且井田制度，使地主與耕農關係和諧。由帝王而庶民，祭天祭祖不忘本的感恩傳統，成為東方民族性精神。而且更重要的是，<u>河圖洛書啟發了「太極」以及易理的觀念，使伏羲的八卦成為天人一體的智慧系統。</u>

17

東方文化，以大自然為心。

東方思想源於天，西方卻偏向人為。

自古西方的奴隸制度，使地主與耕農對立成不同階級，階級化以後又演變成以工資交易的僱傭關係。於是汲汲於利的資本主義觀念便應景而生，強取豪奪、殖民侵占，為害於世，這應歸於西方沒有虛無的形而上的觀念，一切以理性思維為主。<u>理性思維雖然能使物質化的知識累積，而使文明快速成長，社會發達，但文明非文化，將使人性逐漸迷失。</u>

這是王道與霸道的分野。台灣有中華文化的素養，也有西方的現代化，台灣可以做為王霸之間的溝通橋梁。所以我一直呼籲，台灣應以文化來領導科技，不應讓科技獨走，為害環境與人性，這樣台灣才能成為王道的先驅。

我大約每個月才能寫一篇文章，思考的時間占了大半，所以文章題目常有跳躍，或許，這也算是我「隨便想想」的特色吧！但聰明的讀者，你應可以看出，我隨便的背後，仍有個不隨便沉

思的脈絡。朋友啊！你要不要也開始散步沉思吧！或許在散步時候，你我的沉思可以在自己的本心裡相應呢！

　　大寒剛過，連日細雨綿綿，好像老天也在笑我情多。退休不好好退休，還那麼婆婆媽媽！真不可救藥。願將此書獻給企業家朋友們，好好把企業當作自己的大家庭。終有一天，大家庭成為更大家庭，台灣將成為世界楷模。那時自然而然，世界村的雛型將已在望了。

林蒼生

2022年1月

鳥的飛翔，永遠都很自在美麗，
是因為鳥的心靈已歸零了嗎？

目 錄

心的流動・像流水。

讓能量流轉 —— 感恩的心，使心地富足

回歸本心 —— 喜悅來自本心的回歸

天籟、地籟、人籟，都
在茶禪的一味中。

心要像那松，高高山頂立，翠綠常新。

清富

—— 養德修心，讓生命更豐盛

21 世紀，台灣的未來怎麼走？

用台灣人特有的，較多祥和的儒家文化基因，
引領大家走向地球新紀元。

思之，思之，鬼神通之，
通之於白子、黑子之間。

要思考台灣未來的路怎麼走，確實不是一件單純的事，不僅因為台灣夾在大國之間的處境，更有甚者，是歷史淵源所造成多元文化的混亂，需要時間來沉澱、來消化、來昇華成多元文化新型態的花朵。

古今並不缺少實際的例子，例如：文藝復興時代佛羅倫斯也是一個小國家，但麥迪奇家族的羅倫佐能周旋於大國之間，化解梵蒂岡號召聯軍攻伐的危機，這不僅是謀略的正確，而且是他個人的氣質魅力以及其藝術文化的修養，才能使佛羅倫斯因此被人敬重，而願意同心協助。

二十一世紀的現在，已是一個網絡密布，電磁波瀰漫的時代，除了看得見的變化，還有看不見的潛移默化，例如：生活方式的改變、書寫方式的退化、思考方式的現實化……一一都顯見人類的意識在改變了。而且是在往鈍化的方向改變。

我們能改變這鈍化的趨勢嗎？我們先從自然的現象談起。

我們可以把政治比喻像固體，因為政治硬邦邦的，界線分明。一不和諧就有戰爭。把經濟比喻像液態的水，投資的人不管如何，一定往可以賺錢的地方流動。把文化比喻像空氣，因為文化會在不知不覺中瀰漫全世界而不著痕跡。

二十世紀較像經濟水的時代，進入網絡的時代，比較像是空氣的時代，今天我們看到的現象，都是由水因能量的增加而蒸發為空氣的現象，大商店轉變為便利商店是一個明顯的例子，人們旅行多而遠也是一個例子，資訊瞬息間傳遍世界更是明顯的例子。

所以，2012 年大家驚恐的世界末日，並非世界末日，而是新時代來了的一個徵候。

全世界都已進入新的時代了，為什麼台灣還在以舊的思維爭爭吵吵呢？新的時代是以文化資源為主的時代，我們將逐漸脫離物質

資源或欲望的需求，在這轉變的過渡時代，我們須好好思考，什麼是我們台灣正確的方向。

有史以來，地球上有羅馬、長安、巴黎，紐約幾個世界性中心的大都會，與長安同時的羅馬，人口只有五萬，太小了不談。長安可以算是最精彩的世界性大都會中心，那時長安有一百萬人，光是留學生就有三萬，有不計其數的中東胡人來來去去，而更了不起的是那時的長安詩人齊備，李白、杜甫等名流在胡姬的酒肆中，詩韻不斷，而且一晚新詩起，隔日就傳頌整個長安、洛陽甚至揚州，詩是長安的靈魂，是至今沒有任何地方可及的都會風範。

後來巴黎跟上來、紐約跟上來，雖然也都名耀一時，但比起長安，像缺少了什麼遠遠不及。而我相信，缺少的是文化的深度，是詩韻傳遍民間，全民皆詩時代的特質。

要成為世界性文化都會中心，要有幾個條件，<u>一是多元文化的融</u>

我是台灣文化的使者。

合，二是文化的創造者，三是全世界的文化成果都想來這裡發
表。四是……讓我們來想想，當年的長安可以，今日的台灣也可
以把台北變成當年的長安，來做我們立國的方向嗎？

我們如能以此為方向來立國，而不要在統獨的二選一中被迷惑，
我們能不能由文化的深度與廣度開始，使台灣的中華文化成為華
人的文化中心，進而使成為推向世界的「文化地球村」中心。

地球村的形成，還是要有不同的次序。先要有文化的地球村，然
後才會有經濟與政治的地球村，現在大家都把注意力放在經濟政
治的地球村，這是今日世界為什麼如此紛亂的原因。地球村的形
成，應該由文化的地球村開始，以後自然而然經濟與政治性的地
球村才會慢慢形成。到底空氣或文化到處瀰漫，被接受的程度是
比較容易的。

台灣人來自中原，由中原移至台灣經歷了一千多年，這移民的
過程中，我們避開了五胡亂華，五代十國，蒙古南侵，滿清入

關等的殘殺或迫害。<u>台灣人腦筋裡的文化基因，存有較多祥和</u><u>親切的儒家文化基因</u>。這祥和親切的儒家文化基因，在東西文化交融或衝突時，會扮演一個重要的角色，這是台灣的特點，也是台灣的機會。這是台灣能使台北成為未來世界性文化大都會中心的原因。

這是不是一個可行的新思維我不知道，只希望台灣能出現一個像羅倫佐那樣有智慧、有藝術文化氣質、有膽識、有謀略的領導人帶領台灣往文化更深更廣的方向走，使世界和平，或世界大同時代早點登臨，這才是台灣成為二十一世紀長安的新時代使命吧！

1. 心安靜下來
2. 以心執帚
3. 一塵一沙如妄念
4. 妄念淨靜，塵砂亦淨
5. 故知，地與心地一如

單車王國，愛心王國的台灣。

GCP —— 台灣未來的方向

以 GCP 來做為一個國家經濟富足的努力方向（C 是文化）。

文化是歷史的心靈，歷史有更迭，文化是融合。更迭產生多元現象，融合使多元回歸合一。百川是多元，大海是合一。國與國的分殊是多元，而天空是合一。所以大海使人覺得壯闊，天空使人安靜，壯闊與安靜是合一的現象，文化也一樣。

我們看歷史，要看歷史的背後，帶來了什麼影響。看那影響為文化的融合帶來什麼貢獻。例如：1949年的國共分裂，是多元分裂的現象之一。但1949年使南北各方精英在台灣匯集，其結果使中華文化在台灣生根，融合成台灣人民特有的儒雅素質。再加上，幾百年來台灣替代中國大陸接受了多方面國際的衝擊，使台灣人一方面有儒雅素質，一方面也具備了看向未來的國際視野。

這儒雅素質的安靜，與有國際視野的壯闊，都是文化沉澱融合後的合一現象。這合一的特質如能好好培養，將會是出汙泥的花朵。汙泥是藍綠小我的利害紛爭，花朵是超越了歷史，使文化茁壯發展的美好未來。

二十年前的九〇年代，我曾問了南懷瑾老師，湯恩比說二十一世紀是中國人的世紀，老師的看法怎麼樣？他說別往自己臉上貼金啦！二十一世紀是一個世界融合的時代，在各自經過幾百年的經驗之後，才在二十一世紀時，有機會將社會主義的福利、共產主義的理想、資本主義的方法，結合起來，再加上中華文化的精神，能夠將這四個思想融合為一的人，都稱為中國人。中國人是法統的中國人，不是血統的中國人。

這使我想起曾國藩法統與血統的申論，他說夷狄有中華文化，夷狄也是漢人。漢人沒有中華文化，漢人也是夷狄。古人也都有如此胸襟，身為二十一世紀現代人，如果做小了自己，豈不汗顏。

文化是歷史的心靈，經濟只是生活的必須，所以易經告訴我們，在小畜卦的經濟富足之後，要轉向大畜卦的精神富足，否則會轉向否卦與剝卦而逐漸沉淪凋零。綜觀現在的世界，全世界只往經濟繁榮的方向爭逐，使人心的貪婪已像潘朵拉的盒子打開之後一發不可收拾。這時，要挽回這不易挽回的潮流，只好期待南懷瑾老師的藥方，來完成這不可能的任務了。

我們想在此建議，不要再以GDP做為一個國家經濟發展的排行榜了，而改以GCP來做為一個國家精神富足的努力方向，「C」指的是文化。以文化的廣度與深度來促使我們的社會，在物質與精神的富足之間能有個奇妙的平衡。古代有清貧的思維，現代經濟富足了，也應該有清富的思維。

生活富足，內心清淨，才能知足常樂。人人知足常樂，那麼世界大同的理想還會很遠嗎？朋友啊！台灣有機會成為這理想的領導先鋒，我們為什麼不好好發揮我們的優點，而只以自己的短處來與人爭雄呢！

二十世紀，紐約帶著美國往經濟的方向走。二十一世紀，台灣要帶著所有華人，往文化的方向走。台灣生存的機會在此，台灣未來的發展在此，就如前文所述，<u>讓我們來把台北塑造成二十一世紀的長安吧！</u>

21世紀的長安，以茶道引領天下。

文化是歷史的心靈。

以文化為底蘊的 GCP 清富思維

清富是腦筋要跟上時代，心靈要貼近自然．內外和諧發展
的生活狀態。

治大國如烹小鮮，一個國家的治理，也不可隨便急轉彎，要把文化逐漸引入GDP的經濟軌道，以GCP做為國家精神富足的方向（C是指文化），使人心回歸正常，當然不是一件容易的事。

遠古以來，清貧思想已在幾千年的士君子中，樹立了不少楷模典範，成為中華文化的美德之一。但清貧思想在今日社會已不合宜。GDP的競逐使經濟富足，但貪欲之心也隨之有增無減。遂想以清富思維，用文化的力量來濡染培育，使人心回歸正常，相信這才是今日世界的急迫需要。

清貧的清，是指心安理得，知足喜樂的心態。而這心態恰恰也是今日經濟富足之後所需要德操。但人心在渙散之後要收斂回來，並不簡單。因為這並不只是教育教養的問題，而是人不了解自己的心性，只好隨波逐流所產生的嚴肅問題。

我無意將問題扯到宗教上來，幸虧進入二十一世紀，量子論的進展已幾乎觸及宇宙大霹靂的起始原點，上帝的粒子快找到了，使

心生喜悅，即是智慧。

人們逐漸了解人的來龍去脈，以及對人的意識如何與宇宙產生關連有了掌握，所以我們要面對的心靈問題，不是宗教問題，而是生命科學的問題。

幸福感是心安理得、知足常樂的感覺，感覺必須來自內心，因為感覺是與自己內心最深處連接的天線。如果人的欲求多了，天線就會扭曲，而收不到正確的訊息。

心地愈單純平靜，感覺也將愈敏銳。我們如何隨時隨地保持心地的單純平靜，使自己能與內在深處的中心點暢通無阻，便非常重要。因為內心深處的中心點與宇宙大霹靂的起始原點，是在同一個點上。

所以，我們在心靈安靜時候，便有能量由內心深處的中心點升起。當心的中心點與宇宙的原點合一，我們就接受了宇宙的充電。當能量充足了，能量提高了，在平靜中便有喜悅發生，喜悅是來自平靜的更高能量。

六祖惠能說：「弟子內心常生智慧」。<u>智慧就是產生喜悅的能量</u>，我們從每一位菩薩的微笑中，都可看出其內心充滿了喜悅。喜悅是生命的恩典，生命不能沒有喜悅，所以不論在貧困或富裕時候，我們都須保持同樣心境的清，使在平靜的心境中喜悅不斷升起。

財富並非罪惡，欲求也非邪門，只是我們面對財富，面對欲求的方式，需要重新調整而已。我們每個人都會有欲求，欲求在佛法叫願力。但願力是為大眾著想，欲求只為自己。如能把為自己轉化成為別人或大眾，<u>由小我而大我，則欲求將愈來愈是正能量了。</u>

財富也一樣，學習清富的人，要學習將財富放在口袋，該用就用，不該用就不用。不要把財富放在心上，使自己變成財富的奴隸。如此慢慢修正自己，自己會看到自己比以前更平靜、喜悅、更幸福。

現代社會瞬息萬變，科技日新月異，在此壓力下，如何仍保持清富的清，這又是另一個很有趣的挑戰了。我姑且建議，試把心靈與理智分清楚，「上帝的歸上帝，凱撒的歸凱撒」。意思是腦筋要跟上時代，心靈要貼近自然。這樣日日試驗，便在腦筋的忙碌中，平靜與喜悅不會中斷，這才是清富思維的目標。

或許，這是孔子要苦口婆心以「格物、致知」來訓勉我們的原因，「格」是感通，「物」是大自然，時時與大自然感通便是格物。與自己內在的中心點連接叫感覺，與宇宙的中心點連接叫感通。由感覺而感通，則天人一體，人心就安靜下來而回歸質樸的正常了。

老子說：「歸根曰靜」。他說的豈不是「清富」的現代思維嗎？

心清喝茶，茶隨心清。

清富的「清」，
才是世界和平的良方

多一點心靈的「清」，
來提升自己，提升世界能量，

現在世界的情勢很複雜，兩強較勁，次強叫喧，小咖惶惶不可終日。只因地球村形成的方式紊亂，已是二十一世紀了，政治家仍以傳統的思維，弱肉強食，你爭我奪，沒有從歷史的教訓中學會了什麼。

人類的行為總是跟著腦筋走，腦筋是邏輯的，行為當也是邏輯的。邏輯是很清楚的理路，像一加一為二的數學，像強壯比柔弱安全的觀念，都是邏輯。邏輯引導著文明幾千年，使文明愈來愈複雜紊亂，這都是邏輯想當然耳的誤導。

科學家說，大部分人的左腦比右腦大，邏輯的腦筋比非邏輯的腦筋多得多，只有3％的人類左右腦是平衡的。這3％的人，IQ很高，EQ也高，是人中精英，但為數甚少。因此邏輯的思維是當然的思維，使人類的左腦愈來愈發達，終於使創造出的文明，地球也負荷不了。

而這左腦與右腦的分野，恰恰也是東西文化的差別所在。西方偏向左腦的邏輯，所以科學比較發達。東方偏向右腦的非邏輯，所以東方人喜歡玄學。有人說，地球是個生命體，地球也有左腦與右腦，似乎也有道理。

我不想進入地球是不是個生命體的問題，只想從現代量子力學已逐漸與東方太極的思考原點相呼應來說。東西思維的差異其實是來自思考原點的不同而形成。量子力學已經知道宇宙中，物質只占4％，其他尚有23％暗物質，與73％暗能量。而邏輯的科學只存在於物質的領域，其他96％都是非邏輯的領域。這看不到的非邏輯領域稱之為「無」，「無」在默默中影響著「有」，而人們不知道。人們只知道在「有」的邏輯世界中互相競逐求生存，決勝負。

西方文化以「有」為思考原點，東方文化以「無」為思考原點，這原點的差異使思考模式完全不同。例如：當兩位東西方的領導

天地廣闊，皆是我內心的景光。

見面了，東方的領導說：「太平洋那麼大，容得下兩個大國」，西方的領導笑笑說：「是的，是的」，但心裡一定有個聲音說：「不是，不是」，因為西方的思維像唐吉訶德，在沒有敵人時，也要找個風車當假想敵人。

東方的思維是融合的，西方的思維是分岐的。近年來以美國為首的TPP戰略壓著東亞而來，而中國的一帶一路卻往西耕耘而去，不與之相抗。往西要有不少民族、宗教、文化要融合。那融合才是大工程。而且這工程重要的是文化，不只是經濟的支援，或政治的同盟而已。

我曾提過南懷瑾老師說過的，「二十一世紀是要以中華文化的精神，來融合共產主義的理想，社會主義的福利，以及資本主義的方法的時代。」現在地球村已逐漸形成，如果文化不被重視，東西文化不能相融，那將又是戰爭不斷，汙染遍野的威脅重覆到來。

東西方文化的相融，必須要深入到人性最初的需求來思考。人不只要追求溫飽，人尚需要心安理得，知足喜樂的幸福感，而這正是清貧與清富的「清」。文化要使人們了解內心的「清」才是生命的根本。不管什麼不同的民族、宗教、文化都一樣。

因此我們想提出清貧或清富的「清」，來作為推動地球村時代，使人類和平相處，讓大家安居樂業的良方。這不只是一個人的事，這是全人類的事。

地球已進入水瓶座的時代了，
已由三度空間進入形而上的四度空間，
人類已由物質的時代，
進入能量、或精神的時代，
所以我們要有多一點文化素養，
多一點心靈的「清」，
來提升自己，提升世界能量，
這才是世界和平良方。

心清靜‧則凡物皆美。

原來，我與飛鳥，
都是青山懷裡的知交。

清富，從企業家做起

生意人或企業家所賺進的每一塊錢，除了一塊錢的
價值之外，還附帶了過程的善與不善。

清富的清，就像清水的清，水清可以見底，心清才能看清自己的心境。心要清，腦筋必須安靜，現代企業競爭激烈，大家在競爭壓力下，腦筋動個不停，根本無法安靜，不能清。

要解決這個問題，必須從頭開始，從為什麼要經營這個企業的動機重新思考。動機就像射箭，動機正不正，是箭中不中靶的主要因素。

為名為利的動機是為己。為己的動機是把箭射向小我，小我很小，中靶不容易。如果改為射向大我的動機，則海闊天空，無處不中靶。

多年來，我一直提倡，在管理上身心靈都要兼顧，尤其是靈的部分是重中之重。身是數字上表面的管理，像硬體。心是軟體，像執著於名與利的小我範圍。而靈是軟體的源頭，與宇宙大我相接的源頭。做事的動機如能一切為人不為一己之私，這才是大我的動機。

當我由小我而大我，
我就與山水同根。

我有一位過世了的日本朋友船井幸雄，他開辦了唯一股票上市的企業顧問公司。他常說：「一個公司的成或不成，董事長的責任占99.999％。」本來我覺得有點誇張，但經過幾十年的案例綜合，我開始明白，動機是其背後的原因。

<u>生意人或企業家所賺進的每一塊錢，除了一塊錢的價值之外，還附帶了這一塊錢賺進來的過程中，因其過程的善與不善而引致的能量是正或負。</u>偷工減料賺進來的利潤是負的能量，真心誠意賺進來的錢是正的能量。負能量的錢因能量守衡的鐵律，未來仍要賠出去；正能量的錢會帶來豐盛與歡喜。我相信，<u>著重身心靈的管理，使企業充滿正能量的文化，這才是一個企業能否永續經營的竅門所在</u>。

統一開創時的董事長吳修齊先生常講的一句話是：「用我們的良心貨，賺你的歡喜錢」（台語）。這句話影響了我的一生，良心貨是良善動機的產品，歡喜錢是正能量動機的必然結果。

買咖啡要好好注意泡咖啡人的心情，阿嬤煮的牛肉麵會很可口，母親愛心的雞蛋永生難忘，其原因只在動機純正的心態，以及心態所生成的能量。

不管是販夫走卒，或大企業的大老闆，都只是一個人。人的身心靈是宇宙身心靈的縮小，看得見的物質世界是宇宙的身，看不見的「暗物質」是宇宙的心，神妙不可知的「暗能量」是宇宙的靈。我們只是其中一小部分分支。我們必須與宇宙的身心靈連接，我們的心才會安靜，我們的靈才會自在。

連接的方法，是隨時觀察行事的動機，隨時觀照身體的感覺。感覺是心靈的天線，動機是靈在說話的訊息。只要保持身心靈的一以貫之，不扭曲，就能引發心安理得，知足喜樂的幸福感。這幸福感的溫馨，才是人類本有的福祉。孔子的格物、老子的「天得一以清」、莊子的逍遙、基督的天國、阿拉的⋯⋯談的都是這件事。

企業家當然不例外，企業家在頂天立地時候，也應探索這本有的福祉，不只要自己擁有這個福祉，也要員工擁有這個福祉，而且，讓所有消費者擁有這樣的福祉。在資本主義氾濫的時代，企業家的責任最重。期待所有企業家們都有清富的觀念，以清富來利己利人利社會，那麼大同世界的雛形將逐漸顯現。

清富的思維，由政府來做太政治，由媒體來傳導太抽象，由個人來嘗試是最好的方法，尤其是由企業家來帶動，效果易見，自利利人。企業整體的能量提高，社會的能量提高，慢慢地整個世界能量也會提高。親愛的朋友，這提高了能量的社會就是世界大同的社會。

所以，清富，從企業家開始做起吧！

清富，如何沒有壓力的工作

事來則應，事去不留，不留還歸內心覺照的朗靜，
那朗靜正與看星空的心境一樣，是很美的。

笛的韻律，使我與流水為一。

能不能看一顆星星看很久，直到這顆星星變成你的，在你閉眼的時候，還能發光發亮。能不能看一朵雲看很久，雲移動也跟著移動，雲散開也跟著散開。自己常與天空玩這遊戲，是一個很好的休閒，玩了遊戲又可以容光煥發地工作去了。

身為一個企業人，我們的心常被事情繃得很緊，就很容易疲累。要鬆開這些壓力，唯一的方法是安靜。如何隨時隨地安靜自己，是企業人的終身功課。除了安靜還有一些竅門，我慢慢道來，希望對你有益。

一、當下

隨時隨地，都要能保持當下的覺知。當下的覺知在，就不會有壓力。不管事情怎麼來去，在當下就只有一件事。在每個當下處理好每一件事，處理的時候，要注意意識裡那清清楚楚、明明白白的覺知在不在，覺知不在就是身心分離了。身心分離壓力就來，不能安靜。時時學習如此處事，事來則應，事去不留，不留還歸內心覺照的朗靜，那朗靜正與看星空的心境一樣，是很美的。

山水之美，入於心中，
無我的喜悅因而升起。

二、腦筋要能自主

腦筋自主，是指思想的自主，要想才想，不被紛飛雜亂的思緒拉著走。人要呼吸，吸進氧，氧到腦中會產生思想，平常人要停止思想是不可能的。雖不能沒有思想，但可以自己作主管理思想。<u>要想才想，沒必要時就放歸內心的覺照朗靜，在那覺照中安頓自己身心。</u>而且，看書比看電視好。看書人可以作主，心能安靜。看電視人不能作主，人被畫面拉著走，情緒跟著起伏，不能安靜。

三、體會動與靜中的美

慢跑到一種平衡的韻律出現時，反而會有很安詳的安靜感。爬山爬到腳步與身體也有韻律感出現時，其動中之靜的體會，會很令人著迷。可見靜中有靜，動中有也靜，問題是在<u>體會出自己的身體那個有節奏的韻律，跟著韻律走，人永遠不會疲累。</u>很多朋友工作忙，每天全世界在跑，被時間與時差打亂了韻律而不自知。這時，看天上的雲吧！雲的韻律會讓你的心調整回來。

54

你知道，地球也有地球的韻律嗎？試在海邊坐坐，你會發現每十三個波濤會有一個大波濤出現，這是地球的呼吸，也是地球的韻律，萬物皆有其振動的韻律，而生命的韻律要自己去體會，答案就在安靜下來時的呼吸中。

四、以一元的眼光看世界

東方文化與西方文化最大的區別，在於東方的思維由一元開始，西方的思維由陰陽二分以後的二元開始。人類張開了眼睛，看到的完全是二元世界，眼睛閉起來才回到一元的世界。很可惜，人類喜歡張開眼睛，看世界的多彩多姿。不喜歡把眼睛閉起來，去體會那另一個玄虛不可知的世界。多彩多姿的世界是「有」，玄虛不可知的世界是「無」。而「有」來自於「無」，NASA說物質的「有」，只占宇宙的4％，其他都是「無」的世界。我們必須好好體會「無」的世界。

「無」不易體會，但可以實用。「無」是一，一才生二，生出萬物。我們能不能在看任何事物時，都回到內心的原點，看萬物裡面也會有的一及二？例如：路上走路看男生女生，男生女生是陰

陽二元的，所以試著忽略其外表的二元，只很阿Q地看其內在的一元。南懷瑾老師曾經這麼教我們，那時不懂，現在才開始體會其奧妙。或許，這也是金剛經所說的「是世界，非世界，是為世界」的觀法。

現在已經是地球村時代了，地球村是東方與西方文化要好好融合的時代，希望世界級的領導人，能體會這一元看世界的道理，那麼世界和平，人間幸福，或許仍有很可期待的可能性到來。而這也是我一直想提倡清富的清的最原始想法。

忙碌的時候，看天吧！聽聽看，天正在對你說些什麼！

很想了解，
這松每天對我說些什麼？

楊柳似乎在說，看呀！魚也來報春了。

清富，順自然的企業家

企業文化是公司的右腦，報表數據是公司的左腦。
左腦與右腦必須平衡運作，公司才會永續發展

智慧是意識大海裡的魚，心不夠清，就看不到魚，看不到智慧。一個企業家如能保有清靜的心，才能感應到內在智慧的光影，那光影是靈感的來源，靈光一閃，這是意識大海或宇宙來的恩典。

個人意識只是宇宙意識裡的一小部分，我們人類大家都使用著宇宙同一個意識而不自知。古德所說「思之，思之，鬼神通之」，有其正確的道理。這鬼神並非平常所認知的鬼神，而是神妙不可測的宇宙意識中所呈現鬼神般的未知現象。

那未知應該可以如此體會：當我們專注地思考一件事，專注的能量會在宇宙意識中，尋找到與其類似頻率的能量共振，共振由右腦入，在左腦邏輯化，便呈現出我們靈光一閃的靈感。嚴格說來，這靈光一閃的靈感，是宇宙來的，而非我們個人所獨有。愛迪生電燈的發明，達爾文進化論的推出，都有同時代的人有相同想法的爭議，就是這個原因。

荷花時時都在祈禱，
所以很美。

專注的思考是進入宇宙意識的管道，祈禱也是。而思考與祈禱都是人往內在世界探索的方法。對一個企業家來說，要創新，要有創意，要解決問題，養成安靜下來，靜靜祈禱然後思考的習慣，是很重要的日常功課。

最好祈禱與思考能配合進行，把思考往正的方向引導，如此共振而來的因緣，比較可能有正面的增強，尤其是要做決定的時候，一定要心平氣和，士氣高昂，很歡喜地做決定，這樣共振而來的因緣，自然會是高能量的好因緣。在低潮的時候，在生氣或挫折的時候，不要做任何決定，這時最好去休息一下，遊山玩水更好，情境改變後才做進一步決定。我看很多人都在盛怒時候，做了離婚決定，這是很錯誤、很可惜的事。

同樣的道理，在經營管理時常會有個盲點出現，很多人喜歡挑毛病找缺點，以為把公司的缺點改正過來，公司就會變得更好，這是很值得商榷的討論。我個人比較主張更積極一點，應該把精力放在優點的延伸而非缺點的糾正。優點的延伸才是正面能量的擴大。聽說，老虎伍茲的教練要求他把精力放在將球打得更直更遠

心量要與天同高，花即飄入心中。

的精準度上，而不讓他花時間去練習如何從沙坑把球救出。這真是聰明的教練。

個人的心靈意識既然與宇宙意識是相通的，如何擴大自己的心量，來逐漸與天同高，與宇宙意識同樣大，變成很可理解的一個修行方向了。金剛經說：「我相，人相，眾生相，壽者相」其意旨也在此。由自己自私自利的小我，擴大到與眾人同心的大我，這是我們人類生生世世，再而三要學習的長遠道路。

一個企業家，必須擁有全公司以及全消費者同等的心量。公司大心量小，一定會被淘汰。公司小心量大，一定會逐漸成長變大。其實，一個公司大不大並不重要，一個公司好不好才是重點所在。好公司一定很有情感。我們必須把公司當做自己的家庭，家庭沒有大小，家庭有的是互相照顧，互相關懷的情感，有情感才是家庭，沒有情感的公司就會開始走下坡。報表的管理，雖然精準，但沒有情感。如何塑造有情感的企業文化才是企業好不好的標準。

企業文化是公司的右腦，報表數據是公司的左腦。左腦與右腦必須平衡發展，人才會健康完美，公司才會永續發展。人類中有88％的人左腦大於右腦，有9％的人右腦大於左腦，只有3％的人左右腦是平衡的。只有這3％的人IQ高，EQ也高。一個公司能不能也有平衡的業績與企業文化，這才是我們要努力的目標。

人類因左腦的邏輯太強，造成今日世界性的汙染以及人心的敗壞。公司的報表管理使公司業績掛帥，唯利是圖，這是今天資本主義過度發展的結果。身為一個清富企業家，能不能從個人的公司開始，把風氣轉變過來，順著大自然的道理來經營公司，相信這才是世界問題的解藥。由自己做起吧！清富的清，不僅是世界問題的解藥，而且還是我們自己的生命能好好提昇的保證呢！

朋友，你靈光一閃，好靈感來了嗎？

什麼時候，
我的靈光才會一閃？

清富，帶著微笑走天下

微笑的能量雖然微細，卻代表生命能量的提升。
這也是每一位菩薩臉上都帶著微微笑意的原因。

除了微笑，我還吹口哨呢！

就算是童言童語好了！我想告訴你一個方法，很簡單卻很珍貴，就像呼吸一樣，很自然地好好呼吸就好了，不必宣揚。

方法很簡單，在做每一件事之前，在一件事與一件事之間，給自己一分鐘的空檔，安靜地靜下心來，然後由心底浮起一絲微笑，帶著微笑做事去。這樣，做事的品質將會提升很多。例如：在會客之前，在電話之前，在開會之前，在上車看資訊之前，在做任何決定之前，在……之前。如果這一分鐘的內心回歸，養成了習慣，把每天多次的一分鐘加起來，一定比打坐一小時的效果好得多。

打坐的人都知道，安靜下來靜靜地坐著，不只內心澄靜了，也會有全身能量充實的感覺，並覺得舒適、自在而安詳。這時，漸漸地會有一個微細、微細的微笑在臉上浮現。這微笑的能量雖然微細，卻代表了生命能量的提升。這也是每一位菩薩臉上都帶著微微笑意的原因。

微笑，代表著生命能量很充實，內心沒有任何需求，沒有任何期待，當下的寧靜是在最完美的狀態。那一種好像與宇宙融合在一起的感覺，真的很美。六祖說：「何期自性，本自具足」，指的大概是這個意境。

簡單地說，微笑使多巴胺或腦內啡（endorphin）的快樂因子流動到前額，使血管擴張，產生歡喜、快樂的感覺。時時微笑，快樂因子連續不斷地產生，如能如此養成習慣，快樂因子更快地循環，人一定健康，而且行事積極樂觀，人生充滿希望。

佛陀拈花，迦葉破顏微笑，這千古的公案，最是典型。仔細思考這拈花的公案，似乎也暗示著，生命的能量並不限於一身，可以在人與人之間流動，甚至沒有時間空間的阻隔。如果以量子力學來理解將更清楚，量子力學認為我們的世界有顯形世界與隱形世界，它們是一體的。所以隨時都在互相影響。那麼，在這顯形世界的微笑，其背後的隱形世界，應該是生命能量互相流通的所在。也就是說，在隱形世界，所有生命的能量是一體的。

喝茶方知，一默如雷，雷也如默。

另外，還有一個公案，值得思考。維摩詰居士的「一默如雷」，相信也在暗示著，「一默」是顯形世界的一默，其一默的能量深入隱形世界，深入到宇宙的所有地方，所以能「如雷」。儒家提倡「慎獨」，老子主張「常無，以觀其妙」，以及禪宗所說的「默照入禪」，所教導的都是深入隱形世界的方法。

寧靜默然與微笑，都在教導我們如何安頓其心，如何安靜自己，如何在現代忙碌的生活中，找到一個入口，來體會自己內在世界的生命能量。我介紹這個方法真的很可以試試，現在的年輕人，要好好打坐修行，似乎不容易，所以在事與事的中間，留個空白的空隙，在空隙中調和自己。就像一首歌，在音符與音符的中間，如果沒有那空隙的空白，那音符的美就顯現不出來。生活也一樣，多留給自己一些空隙吧！而空隙如果只是安靜，那是休息。如果加上微笑，效果就完全不一樣了。

在挫折、煩惱或生氣的時候能微笑嗎？答案是正面的。因為微笑是一種提升生命能量的方法，如能用微笑來把形而下的煩惱，抽離成形而上的狀態，煩惱就會開始質變。例如：蘇東坡每每被

貶，他以詩情來抽離現實世界的挫折，變成形而上的詩意。「十年生死兩茫茫，不思量，自難忘」，這樣帶著滿腔的詩意，他又活潑潑地面對生命的挑戰去了。

會不會寫詩，並不重要，重要的是培養出寫詩的心情。而微笑的習性正是這「寫詩的心情」的橋梁。這過程有功力的深淺區別，只要把微笑常掛嘴邊，學習蘇東坡的瀟灑，豁達並非不可及。人生的美要從過程中去體會，我們不要把生命交給匆匆忙忙的忙碌。一個清富的企業家必須知道如何保持心中的清，而一分鐘的方法，使你日日在很從容、優雅、歡喜的心態中完美自己。

微笑吧！帶著微笑走天下，這才是二十一世紀現代企業家的風範。

清富，以金剛經為師

金剛經說我們的心量要像虛空那麼大，
平常人的自我太窄小，如能擴大到虛空那麼大，
自我就變成大我。

時時觀想，我心是虛空。

師父説，
要觀荷花與我同心。

朋友問我，為什麼不談一點當今的問題。我笑一笑，置答。這是大哉問的挑戰。我一向只談未來以及事情脈絡的梳理，當今的問題，其來有自，已像一列往前衝的火車，擋不住了。

人類的思想隨著文明的累積，已像一列無形的火車往前衝，這無形的火車看不見，卻在不知不覺中，成為一股洪流，左右了當代人們的思維，很難擺脫。人們只懵懵懂懂跟著潮流走，於是人心逐漸敗壞，古來心靈裡的純靜、安詳與喜悅，也逐漸消失。我想這才是我們應討論的事。

幾百年來，社會主義、資本主義、民生主義、什麼什麼主義都已實驗過了，為什麼功效不彰？相信一定是與沒有切入問題的源頭核心有關。問題的源頭，在思維模式的正確與否，而不是在社會的表象上以不同的意識形態或主義互相爭執。

當思維的模式已成慣性，必須再深入慣性的背後探討其深層的原因。幸虧現代科學，尤其是量子力學的進展，已告訴我們整個山河大地，森羅萬象，分析到最後，也只是由一個東西叫「能量」所組成。能量有粗有細，粗細只因人類的感官受限，須以「有」「無」來分別粗細。其實，在粗細之間，其能量仍是連續的，而這能量的連續性左右了萬物運行。人們不知這能量的全貌，便一直在粗的表面世界團團轉。

這能量的「連續性」所隱藏的機能或規律，因連續性是看不見的，老子便稱之為「道」，儒家便稱之為「天」，佛法便稱之為「如來」。

意識裡的表面意識與潛意識也一樣，意識是覺知的能量，並不分表面或潛意識，意識是「全像」的，意識是連續的。這意識的大海，佛法稱之為「如來藏」，「如來藏」三個字已暗示了意識的連續性或「全像」（Holographic）。

意識裡的念頭像泡沫，剛由無中出現時我們稱為第一念，第一念只是單純的「看到」，例如：看到一朵花，這時只是看到一朵花而已。當覺得花很美時，已在不知不覺中落入分別心的第二念了。然後，起了念頭想摘回家，這已是占有欲的第三念了。這三個念頭像泡沫，是個小小意識，當多個泡沫出現就成為中意識甚或大意識。意識形態便這樣在不知不覺中形成，而使人的自我逐漸頑強固執不易相處。

當我剛讀金剛經，我很訝異佛陀為什麼一開始只談「善護念」，原來如何保持在意識的第一念是修心養性的第一要務。一進入分別心以後，所有汙染的鍊就開始啟動。如不切斷就愈理愈亂。在現代的社會環境，要善護念並不容易，但這是絕對必要的學習。用現代的語言來說就是時刻觀照「當下」，當下就是第一念，就是「善護念」的念。

接著，金剛經又談到心量，我常說一個企業家心量有多大事業就有多大，也是從這裡體會來的。金剛經說我們的心量要像虛空那麼大，平常人的自我太窄小，如能擴大到虛空那麼大，自我就變

成大我。這比喻在楞嚴經用一句很美的文字：「虛空生汝心中猶如片雲點太虛裡」來述說。

然後金剛經又提出「我相，人相，眾生相，壽者相」四句偈的觀念，使我們有一個修育的目標。人的自我由一個人自顧自己的心量，擴大到要照顧別人的心量，這是由我相進步到人相的現象，因此家庭與公司或企業便成為學習擴大心量的好地方。我一直提倡最好能把企業當家庭來經營就是這個原因。讓家庭的溫情充滿在企業中是能擴大心量的好方法。一個企業如只以報表來管理，不管業績如何都不能說是一個好企業，不是清富企業家的企業。

當心量擴大到眾生相時，關懷眾生的心無遠弗屆，當然也已近乎虛空了。所以慈濟的愛心救濟要及於世界各地，那才是我們要學習的典範。至於壽者相就更精彩了，我們能不能跳脫時空的限制，與古人談心，與聖賢論經典，讀金剛經就宛如是在靈鷲山上聽佛陀說法，那美，不是平常人可以體會的。而且如此讀書、感覺及思考會是一個很棒的觀想修行方法。

無形的火車往前衝，我們只能由個人做起，由自己的企業做起。當以金剛經為師的清富企業家普及到一個程度時，火車會慢下來，世界也會改變的。或許我們仍可再談下去，看看是不是可以反其道而行以回到純淨無染心靈的老家。金剛經是最好的處世哲學，讓金剛經深入生活深入社會吧！相信這才是現今清富企業家的功課。

我正在靈鷲山，聽佛陀說法呢！

我能知白，但不知怎麼守黑！

學習放空的智慧

不執著於過去的記憶，不執著於未來的期待。
一心寬廣，任由念頭來去。

有一天坐在湖邊發呆，看著湖中自己的倒影出神，腦筋想東想西非常複雜，卻見水裡的自己悠然飄逸，非常安靜。我一時愣住了，很驚訝於這湖水倒影教給我的智慧，回來再讀金剛經，遂又增了一層領會。

金剛經像湖水，讓我進到空茫世界中見到我自己的倒影，我複雜的心情逐漸分解開來，好像一層層剝開，意識的複雜性也逐漸單純，而使腦筋清明，有個悠然飄逸的感覺回來了。我在此中沉澱良久，細細體會那思緒單純後，一絲絲微微的喜悅從心底升起的感覺。那感覺講不清楚，卻很真實。

從此，我很喜歡金剛經。金剛經絕對不是宗教的教條，金剛經是教導人們由「有」的複雜世界，回到「無」的單純世界的方法。我不知道老子有沒有讀過金剛經，但老子的「知白守黑」卻與金剛經有異曲同工之妙。而且更重要的是金剛經還提出了方法。

我們不要被金剛經一些看不懂的名詞給困住了，那只是梵文的翻譯問題，例如：金剛經以須陀洹、斯陀含、阿那含、及阿羅漢來

每一滴水都是新的，
每一刻的花都是新的花。

分別解說意識由複雜，逐漸變單純的各種不同境界。其目的在告訴我們，我們的意識由單純變複雜，如果能反其道而行，由複雜再回到單純，甚至回到最初的第一念時，那清淨無憂的阿羅漢境界，是會引人流連忘返的。

但阿羅漢並非究竟，我們不可停留在這清淨境界得少為足，我們必須再進一步，由小乘到大乘，進入世間。但世間是個染缸，很容易汙染了自己，所以金剛經還教導了一個方法，使我們在人世中出汙泥而不染，成為真正的菩薩。用現代的觀念來說，是在教導我們，一方面在現代聲色名利爭逐的社會中立足，一方面也能保持內心的清靜平和。這是很不容易做到的挑戰，但身為現代企業人，我們必須做到。尤其是有志於清富的企業家。

金剛經的方法是「應無所住而生其心」。這一句話六祖惠能聽了馬上醒悟解脫。我們雖然沒有那麼敏銳，也應該可以理解。人的心像流水，每一滴水都是新的，從內心浮出的每一個念頭也應該是新的。無所住是不執著，不執著於過去的記憶，不執著於未來的期待，一心寬廣任由念頭來去，這才是無所住。「住」就是執著。

不執著於物，就有智慧，松枝如是說。

無所住而生其心，引導人們在外在複雜「有」的世界與內在單純「無」的世界中來去自由。這是生活或生命很重要的學習。知道這麼生活，就會超脫了萬事萬物使生活愉快，樂觀進取。所以我常說，企業家賺的錢要放在口袋，不要放在心上，這觀念也是從這一句話延伸出來的。

不執著於萬事萬物的自由度愈高，智慧也就愈高，金剛經是引入智慧的經典，有了這了解心性的智慧，一個人頂天立地，超越了利害牽扯，放開了糾纏心結，如此不被欲望或事物束縛，一心明朗像鏡子，事來而心始現，事去而心隨空。那麼一個平常人，也會成為睿智的平常人。一個企業家也會成為完全不一樣的企業家。

金剛經還有一種不容易了解的句法。像「世界，非世界，是名世界」或「諸微塵，如來說非微塵，是為微塵」等，這種句法在經典中出現很多次。但它與黑格爾的「正反合」完全不同，正反合是平面的思維，是沒生命的。而金剛經的句法是立體的思維，是

有生命的。如果不懂能量的道理，這句法確實不容易了解，當你知道整個宇宙的能量都是一體的，不管細小看不見或粗大的物質能量，其能量一直是一體的從未間斷，而且從古至今也都是連續的。所以，我們看到的表面世界並不是完整的世界，世界的背後仍有一大片看不到的世界，整個加起來，才是真正的世界。朋友，這樣不是很清楚了嗎？

生命是如此奇妙，我們愈往內探索愈能體會生命真正的真相。我們如果只停留在物質的外在世界，那是很膚淺的認知。金剛經是智慧的橋梁，引導我們向全像（Holographic）的世界邁進。了解了這一件事，智慧就會大開，就能醒悟身為一個人，或一個企業家，怎樣才能在人世中，創造希望，而不被染汙，相信這才是我們要提倡清富觀念的主要目的。

由小舟看大河，方知大河心量寬。

咖啡有魔法,使心腦一體。

我喜歡喝咖啡

喝咖啡時的寧靜,像一面鏡子,反映出內心世界,
讓外在事物在內心沉澱,使你看到更清楚的自己。

我喜歡喝咖啡，是五十年前去日本實習時學回來的。那時日本剛興起咖啡風，到處咖啡館林立，而且設計氣氛很吸引人。我不會講日文，沒有日本朋友，遂養成一個人喝咖啡的習慣。

本來，咖啡就要一個人獨自喝較好，一群人談天說地咖啡什麼味道都不知道，反而糟蹋了咖啡。我那時年輕，還寫了一篇諸如「我與咖啡的對話」之類的文章。至今想來，那咖啡的濃郁感居然還帶著當年放逸不羈的年少情懷。

靜靜地面對著咖啡，漸漸把自己融入那咖啡的煙中，直到好像我與咖啡成為一體時，只有寂靜存在。在這時候你真的很不想打破這個寂靜，只這麼靜靜地看著咖啡幾分鐘跟咖啡對話，然後小小地喝一口。啊！那滋味，是形而上的，而且那不是咖啡，那是瓊漿的滋味。

咖啡微苦的滋味，必須加上寂靜，以及寂靜中與自己交流的韻味，否則那微苦會嗆人，引不出咖啡真正的內涵。所以文人比較會喜歡喝咖啡，心能安靜的人才適合喝咖啡。在多年前，我們想在市場上推出「左岸咖啡」。那時台灣海峽的左岸是大陸，我很怕被誤解，所以特地到法國塞納河左岸，看上百年來那些世界級的文人怎麼在塞納河邊的咖啡座上喝咖啡。那咖啡裡的文氣，一定是這麼在寂靜中，加上自己的思想裡的智慧才完成的。所以，左岸咖啡遂以文人氣質為行銷主軸來上市，成為很暢銷的商品。

咖啡是很獨特的飲料，在左岸咖啡之後，我們又推出星巴克咖啡，使星巴克在台灣、大陸及亞洲成為普遍被人喜愛的飲料。本來在二十世紀初，古巴咖啡剛引進美國時，對當時的美國人來說價格仍算貴，所以他們把咖啡沖淡，成為今日美式咖啡的樣子。坦白說如此沖淡的咖啡並不好喝，美國傳統的咖啡不好喝，反而給了星巴克機會，可以異軍崛起。

備好咖啡，想讀經時，最美。

當我們決定引進 Starbucks 時，美方要我們使用他們在北京的名字「星元」。星元雖是意譯但沒有現代感，我思考了十幾天才決定以「星巴克」（一字意譯，一字音譯）提出申請。品牌名稱是商品的靈魂，「星巴克」有現代感，也有時尚感覺，後來北京的星元也從善如流，改成星巴克咖啡。

我每天喝咖啡，以不超過兩杯為限，這樣可保持味蕾對咖啡的敏銳度。並且咖啡一定要新鮮。新鮮有兩個條件：一是從產地烘焙到手上的咖啡豆，不要超過四個月。二是咖啡泡好二十分鐘一定要喝完。甚至，咖啡老手都知道，只在心情好的時候喝咖啡，心情不好所喝的咖啡能量不好。而且泡咖啡人的心情也很重要，君不見星巴克的人，每個人都笑容可掬地把咖啡端給你，那笑容才是這杯咖啡的容貌。

咖啡是最善解人意的飲料，喝咖啡時的寧靜，像一面鏡子，反映出內心世界，讓外在事物在內心沉澱，使你看到更清楚的自己。因此，咖啡裡的寧靜，才是外在與內在世界的橋梁。

這橋梁的感覺，使我們想起，人的眼耳鼻舌身，這五根也是意識與外界的橋梁。所以，更重要的是內在的意識，當意識沒有妄念干擾平靜無波時，這橋梁消失了，外界與內在融合成為一體。這也是楞嚴經以二十五圓通的範例來告訴我們，眼根、耳根、舌根……都可以由此循根入道的重要理由。喝咖啡若能如此深入體會，似乎也已慢慢接近生命的真理了。

如果有興趣，我們似可再進一步體會。年少至今喝咖啡已不下萬杯，萬杯咖啡有萬杯不同的心情，但那個能知道不同心情的覺知卻從來沒有改變過。那永恆不變的覺知，才是我們生命的重點。楞嚴經也提及，有一次佛陀問波斯匿王，你從小至今看恆河也無數次了，你那初看恆何時的童顏，與今日看恆河的白髮皺臉顯然不同，但那能看的能力卻一直沒有改變。這樣看來，<u>那喝咖啡的「覺知」與那看恆河的「覺知」，這覺知才是連接了生命，我們要體會進去的東西。</u>

光是喝一杯咖啡，就有那麼多學問藏在裡面，我是不是可以再多說一點讓你更喜歡喝咖啡？莊子說：「遊心於淡」，莊子教導我們生活要以悠遊的心態來開放心胸，生命不要太嚴肅，要以悠遊的心來面對生命中的每一件事。這「遊」的心態才是真正喝咖啡的訣竅，也是喝咖啡的人，較能放下萬事萬物，瀟灑生活的原因。

因此從喝咖啡，我學習了寧靜、覺知與悠遊，而這三者正是我們生命中最重要的事情。朋友，聽我這麼說，你不想也獨自一個人喝一杯咖啡去嗎？

遊心於淡，
淡是心靈的最初嗎？

以愛心看松，松也以愛心看我。

跟著雲
飛向愛心大國

愛心是一種比三次元空間更高、更高的能量，
是人類將來要進化的方向，
這是所有宗教教義都指向愛心的原因。

雲，仍慢慢地飛，地球也以相同的速度在轉，為什麼人要變得匆忙呢？匆忙使人與自然疏離，使自己不能寧靜自在。但，人為什麼仍舊選擇匆忙，無法改變？這是每個人或每個知識分子，要思考的問題。

我提出清富觀念後，很多人贊同，也有很多人說不容易做到。今日社會人們的思想已被看不見的文明列車，拉著往前衝。要使列車忽然慢下來，當然不容易，在這種無力回天的狀況下，只好選擇由少數菁英做起，尤其是先由企業菁英做起，效果更好。因為企業菁英可以帶領一批人，使企業成為溫暖和樂的大家庭，改變了一批人，也改變了自己。

改變自己非常重要，自己的心性如能由向外奔馳的習慣，轉向內心穩定成長的安靜，將生活與生命同等關注，每天以愉悅的身心與人相處，甚至可以在安靜安詳時候，如莊子所說：「得乎至美，而遊乎至樂」，那麼清富的功課，就幾乎完成。

這「至美」、「至樂」的功課，必須從不匆忙做起。我們很幸運生長在台灣，這裡有深厚的文化淵源，儒釋道的精華成為我們日常知識，使我們東方人比西方人多了一份不匆忙的悠閒，再加上現代科學的養分，使以前不清楚的內在世界更為清楚明白。例如：在1980年代磁振（MRI）出現以後，才使我們更清楚了解人腦皮質層與心靈的運作關係。

人之所以與禽獸不同，因為人腦有皮質層，禽獸沒有。皮質層內分左右兩邊，左腦振動較快，主掌數字與推理之理性邏輯，右腦專司情感與藝術之感性非邏輯。人類的天性，喜歡傾向邏輯的清楚面，不喜歡偏向非邏輯的不清楚狀態。因此幾萬年來人類的進化，使左腦愈來愈發達。聽說累積到現在，左腦大於右腦的占比已很接近90％，右腦大於左腦的占不到10％，能夠左右腦平衡的不超過3％。

這3％的人，都是人中菁英，他們IQ高，EQ也很高。不僅事業發展得很好，樂觀自在，家庭美滿，而且形態優雅，在人群中到處

修心要如松濤，隨風自然。

受人歡迎，是很值得我們學習的榜樣。因為他們左右腦平衡，心靈也時時處在平衡的安靜狀態，這樣的人，其心靈能量比平常人高，喜歡照顧別人，而且心中時時充滿了愛心。

愛心是一種比三次元空間更高、更高的能量，是人類將來要進化的方向，這是所有宗教教義都指向愛心的原因。我們如把愛心放在內心，時時使它發光發熱。發光，使自己容光煥發，發熱，把溫暖帶給人間。就這樣，**愛心像一顆內心的太陽光耀奪目，照耀身內細胞以及外在世界**，使身體每一個細胞的生命力旺盛起來，就像我們對著早上的太陽一樣。

愛心是人內在的太陽，它與外在的太陽是源自同一個宇宙原始能量。古來不論哪一家的修行人，都強調在寧靜的觀照中，使內在的黑暗光亮起來。那光亮的探索與愛心的光芒是相同的，所以想修行的人沒有愛心絕對修行不來。這也是師傅在尋找門徒時，所謂的「根器」。

對一個人來說，愛心這麼重要，它是腦筋能否平衡，心靈能否平和的關鍵。一個社會，以致於一個國家也都一樣，現在全世界都以成為經濟大國，甚或成為政治大國為全力以赴的目標，為什麼不改成以愛心大國為目標，使社會更和樂更幸福，更正確地往我們的理想國「世界大同」邁進呢？

雲，仍慢慢地飛，雲要告訴我們的居然有那麼多。朋友，多看雲吧！那雲還會告訴你更多、更多……而且也讓我們一步一步走向愛心大國。

讓愛心如雲，
　　遨遊於世。

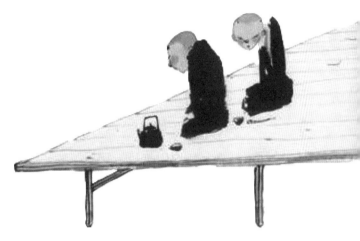

師父說，心存感恩的心，就
是感謝世上所有人。

你想活出怎樣的人生
—— 從感恩開始

正能量吸引正能量，負能量吸引負能量。
因此我們不僅在成功時要感恩，在挫折的谷底時也要感恩。

多年前我去日本，在一個鄉下地方，車子停在斑馬線等一群舉著旗子的幼小學生過馬路。當時只覺得好可愛，沒想到他們過了馬路還回過頭來，彎腰敬禮說謝謝。這下子我驚呆了，這群小孩忽然由很可愛變成很令人尊敬。一路上這情景一直在腦中翻騰，至今不忘。

這群小孩的舉止一定是老師教的，但他們知道為什麼要敬禮嗎？台灣的小孩也教了這些嗎？都市斑馬線那麼多，都市小孩也會這麼做嗎？當他們長大了，仍會在心中起一個感謝的念頭過馬路嗎？一連串的疑問在腦中翻騰，而且愈想愈有趣。

向斑馬線敬禮說謝謝，可以說是對所有不知名默默做出貢獻的人說謝謝。斑馬線給了安全，交通給了次序，都市有建設，社會會發展，以及自古而今的文化與文明，甚至一粒米的滋味……其背後都有太多的人我們要感謝。

在交通方便的背後，
不知要感謝多少人。

日本戰前有一本書 ── 《你想活出怎樣的人生》，當時人手一冊
很風行。故事描述一個十五歲的中學生，如何因思考這複雜如網
的人群關係，而領悟了感恩的道理。這本書也使宮崎駿在宣布退
休之後又重啟畫筆，想將這感恩的美德傳給下一代，做為人人要
活出怎樣人生的正確指引。

為什麼感恩可以成為人生的正確指引？其中奧妙還含藏了平常
人不太注意的道理。大約十五年前，我們出版了《來自水的訊
息》。作者江本勝先生以顯微鏡拍攝在千變萬化的環境中，水如
何忠實地紀錄了所有的變化。箱根的水，其結晶很美，阪神地震
時的水，結晶紊亂不堪。在水瓶上貼上寫著感謝的標籤，水呈現
很美有規則的六角形結晶。當貼上罵人的話時，就又變成亂七八
糟沒有形狀的圖樣了。或者，讓水聽古典音樂與聽搖滾的快節奏
音樂，其結晶形狀，又有極大不同。這些現象讓我們知道水是有
記憶的。

萬物都有生機，都含藏古今記憶。

為了進一步了解水的記憶如何形成，我們邀請了以色列水專家Jacob先生來講解。他說水分子太小不能單獨存在，平常的水以二十幾個水分子聚成一團。而水分子裡面原子與原子之間的鍵在形成水分子團時，其鍵與鍵之間會以類似現在廣為商品使用的RFID（射頻識別系統）來儲藏不同的能量變化，而形成記憶。

這真是不得了的大事，<u>因為地球與人類都含有70％的水，如果水是有記憶的，怪不得情緒與健康那麼息息相關。而且歷史的記錄也都在水中存留，這是不是也是歷史常會重演的原因？</u>

情緒會在水裡面留下記憶，那麼語言與心念，同樣的一定也會在水裡存留。情緒、語言與心念從能量的層次來看，雖有粗細的差別，但對水來說，都可留下痕跡。所以古人說語言有「語靈」，語靈是比語言更細而聽不出來的能量，所以話出如箭必須小心，就是這個道理。而且儒家主張「慎獨」，一個君子甚至在一人獨處時也不可胡思亂想，這兩字甚至還含藏著生命裡很深的細微道理。這道理很微妙，已是修行功夫，另外再談。

言而及此，不得不多談一點生活中最重要的一件事：呼吸。我們如能以感恩的心念來呼吸，將會是一種豐富生命最好的方法。呼吸是人內在生命與外界連接的橋梁。呼吸時要觀想，吸進的是整個世界給你的恩典而心懷感恩，呼氣時呼出的是你滿懷的愛心與世界合流。如此呼吸進出，人雖與世界是分開的，實質上已融合在一起了。如此慢慢體會，你將會覺知到空氣竟然如此親切，如此清爽。

而這也是一種宇宙的吸引力法則。正能量吸引正能量，負能量吸引負能量。因此我們不僅在成功時要感恩，在挫折的谷底時也要感恩。不僅在心靈舒暢時要感恩，在心靈創傷或很疲累時也要感恩。因為只有感恩的正能量能使人脫離負能量的谷底糾纏。

吸引力法則是宇宙之間因能量平衡而有的共振現象。所有發生的事情，都有其背後能量推動的道理。吸引力法則是因，因果關係只是果。個人如此，國家或整個人類也是如此。

古代皇帝在天災地變時，常要下詔罪己，也是相同道理。下詔罪己是領導人以懺悔的虔誠，來帶動人民一心向上，使全國的能量場，由負轉正。這扭轉乾坤的神祕力量其實並不神祕，只是當時尚沒有用來解釋的能量科學而已。

尤其，如能以正面的思維來看待歷史，歷史將更有意義。例如：歷史學家楊儒賓寫了一本《1949禮讚》。他用非常正面的觀點來看1949年，因為1949年的大撤退才能引進那麼多學者專家，才能使台灣發展成獨步全球的經濟奇蹟。這使我們知道，<u>不論在什麼情況下，我們都要以感恩的正面思維，往好的方向想，我們就可改變一切。</u>

無意中看到這一群過馬路的小孩，他們教導了我那麼多。如今他們都長大了吧！或許他們也正以喜悅的耐心，教導著更年幼的小孩過馬路呢！他們一定相信，會感恩的小孩最可愛，那「可愛」的內涵，就是你想活出怎樣人生的開始。

看花時，只是看花，
　　　　心齋如是説。

焦伯伯的心齋

心齋是一種無念的功夫，在無念中把心地洗滌淨靜，
　　　　這修持不僅可去病，也可以入道。

焦伯伯，焦廷標先生走了。

我與焦伯伯分屬不同行業，少有機會親近；在一次偶然機會一起去訪揚州，幾天相處就令我肅然起敬。他不只是一位成功企業家，而且是學術豐富，有思想的企業家，正是我一直呼籲，想好好推廣的「清富」典範。

我敬佩的是，他對莊子「心齋」的了解，不只了解還真正用心修持。他說他曾病得很重，在生死邊緣徘徊多時，那時他時刻以「心齋」淨化自己，竟因此健康了回來。他把心得註解成冊送人，並說莊子是修行人，不只是論理而已。由「心齋」、「坐忘」、「物化」、到「朝徹」、「外天下」、「無古今」……都是修持功夫。除了「心齋」，還送我一本呂洞賓的「太乙金華真經」，要我好好研究。從這裡就可知焦伯伯是怎樣的「清富」典範。

焦伯伯人很親切，臉上常掛著笑容，那笑容是多年做事的「堅定」，以及心靈安靜的「親切」合在一起的笑容。在這笑容催使

若一志，只專心在當下每一刻。

下，又引出我研讀「心齋」的興趣，並也在打坐時試探其奧祕。心齋是莊子在「人間世」中，以顏回與孔子的對話，借孔子的教導來提出他「心齋」的看法，因為一談起莊子，很多人都以為很深奧不易懂，我也不想說文解字，只想淺顯把這深奧的「理」講清楚，並進一步探索為什麼心齋可以治病。

有天，顏回向孔子辭行，他想去衛國幫國君治國，救人民於水火。孔子阻止顏回，說要在剛愎自用君王底下做事，光是學問道德，滿腔熱忱是不夠的。古代的關龍逢、比干都因此以身殉道。於是開始為顏回講「心齋」。

莊子講心齋，一開始就提出「若一志」。古今大都把這句解釋為「集中精神，專一心志」。我與焦伯伯在這句討論很久，結論是：應把「一」解作「天得一以清，地得一以寧」的「一」。這「一」是宇宙原始狀態的代名，是宇宙未分前渾沌一片時的「一」。莊子想帶我們回歸意識最深，那與宇宙融合為一，不知怎麼描述的老家。

人的意識如大海，表面意識只是波浪起伏的浪花，潛意識的大海深不見底。「心齋」逐個層次地帶我們深入親臨那不可見底的底。人的五官中，以聽聞覺知最為靈敏，眼看前方而耳聽八方，所以心齋也像觀音法門一樣，由聽聞切入修行。但「聽」不是以耳朵來聽，耳朵聽的只是聲音；也不要以心來聽，心會分別好惡，只挑符合己意的聽。這兩者都在意識表面的浪花上聽而已。莊子遂提出「聽之以氣」。用氣來聽，做為深入意識裡以整個心靈來聽的第一步。但這個「氣」不是身外空氣的「氣」，而是內在身內的氣。古人把身內的氣分成有形可感覺的「氣」；與無形感覺不到的「炁」。

氣的含義是無妄念，或無念。古人對這「無念」言之多矣！例如：儒家的「慎獨」、「格物」、「中庸」，道家的「坐忘」、以及在菜根譚更清楚標示：「事來而心始現，事去而心隨空」的功課，都在告誡我們不要有妄念。

我不是睡覺，我在集虛。

心齋要我們在無念的狀態下去聽，這才是「聽之以氣」。在潛意識的大海，如此由「氣」深入到以無念的「炁」來聽，這樣才是以全心靈在聽的「聽」。這時內心是一種虛冥狀態，因為虛冥無物，故稱之為「虛」，而「集虛」是要在這「虛」的狀態體驗愈深愈好。「集虛」日久會有覺知的靈光呈現，然後才進入真正的心齋，故曰「虛者心齋也」。

所以，心齋是一種無念的功夫，在無念中把心地洗滌淨靜，這修持不僅可去病，也可以入道。病因是妄念與欲望的累積，使細胞在壓力下失去天然秩序。我們提出「清富」觀念，呼籲在生活中，一方面「腦筋要跟上時代」，一方面「心靈要貼近自然」，其原因在此。

焦伯伯走了，他留下的心齋一直在我心中盪漾，那堅定又親切的笑容又時刻在腦裡出現。那笑容的堅定是「腦筋跟上時代」的「堅定」，那親切是「心靈貼近自然」的「親切」。朋友啊！你也在這笑容中學到了心齋了嗎？

師父説，要時時觀想，與樹同根。

心靈如何貼近自然

心靈要深且廣才容得下世間冷暖衝擊。

我在〈焦伯伯的心齋〉一文中提到，在現代繁忙的競爭中，一個企業家，不僅腦筋要跟上時代，而且心靈也要貼近自然。有朋友來詢如何做到？人忙心不忙，說來簡單，卻不容易做到。這確實是必須好好思考的問題。

要深入思考，最好是找一位敬仰的人，學習他，觀察他所做所為並仔細品味其生活點滴中的細節。以了解那隱藏背後的胸懷與人格是如何養成的。我首先想到的是南懷瑾先生，南老師常說他從來沒收過一個學生，他的學生卻滿天下，被南老師啟發的人太多了，數也數不清。當然，也包括我在內。

我居在南部，少有機會親近老師，南老師的指導卻影響了我的一生。四十幾年來我常思考，像老師這樣人物的氣質是如何養成的，不論什麼時候，他的言談行止總是那麼氣定神全，從容不迫，而且措辭雅致，笑容滿面，一出口便詩文並茂，似有說不完的寶藏，讓人馬上感覺到其內心的充實與溫暖，那種如沐春風的感覺，讓人想到或許古聖先賢的風姿應也是如此。

南老師說，人要像一棵樹，樹多大根就有多大，才能頂得住風風雨雨。人也一樣，心靈要深且廣才容得下世間冷暖衝擊。我不是深入佛門專修的人，卻也因此養成深入內心探索的喜好。每當上了飛機，我就閉眼觀想自己的心逐漸擴大，大到與虛空同等。正如楞嚴經所說：「虛空生汝心內，猶如片雲點太清裡」。如此這般，飛機在我心裡飛，飛機當然就不會掉下去了（一笑）。也許是在高空引力較弱，常會有說不清楚的安詳與喜悅由內心升起。我問南老師這樣對嗎？老師笑笑說，入門而已。

我因此常與自己玩這獨自尋幽的遊戲，體會那荒冥無邊的感覺。有一次聽老師講莊子心齋，才意識到身在企業界，我的問題是妄念太多，我無法體會老師所講的，當人無念，其內心世界與宇宙源起的狀態是相通的。他說，相通時候，內心的覺知靈光炯然，這才是心齋要我們體會的境地。

當學松枝下垂，
美而自然。

相信這是生命的終極學問，重點在要能不起妄念，並不容易，尤其是在商界。例如：我們常要制定目標，目標一制定，那須達成的期待，就修行的角度來講，也是一種妄念。我問過老師這個問題，沒想到，老師的回答，又是另一境界的體悟。他說，<u>我們要學菩薩，菩薩有願力而不是目標。願力與目標不同，願力是生命的事，目標是生活的事。</u>生命的事像樹的根，生活的事像枝葉，失了根人就迷失，這是今日的普遍現象。

那一天，剛好看完棒球回來，棒球打了九局平手，拚到十一局才輸，心裡很不甘心，我忽然警覺到那不甘心正是個大妄念。所以開始推想，如果棒球不是只打九局，還會有得失之心嗎？要沒有得失之心才是平常心。平常心是菩薩的行事心境，修行的功夫，不是平常人口頭上的口頭禪而已。

人的腦筋與心靈剛好是兩個不同的面向，它們在理性與感性之間互相糾纏，也互為一體，很不容易平衡。心腦要平衡，關鍵在呼吸，呼吸是人內在與外在世界交流的橋梁，也是心腦之間平衡的媒介。人的念頭來自呼吸的動能，呼吸與念頭同步。所以心靈要安靜須由呼吸下手。

一個企業人或修行人，首先要能不生氣。而且在生氣時絕對不可做任何決定，因為那決定一定會導向生氣時同步共振的能量。關羽被殺，劉備大怒而出兵必敗，在高位者尤須慎戒。當我們不生氣，心平氣和時，我們才能維持當下的觀照。當下的觀照是很多經典所強調的修行方法，如果能做到每一時刻注意力都只在眼前的事情上移動，像身行水上水不流動，時間將會消失。時間消失，過去與未來當然也不再是纏繞心靈的妄念。我想菩薩大概都是這樣行事，這樣以平常心接渡眾生的。南老師的風範應該就是個活生生的例子。

其實，談到現在我只想把大家帶回到與大自然同一韻律的行事方式。**大自然有一個看不見的韻律在流動，跟著這韻律流動，我們的細胞或基因，才會充滿生機**，但這看不見的韻律，已在工業化之後，到今天資訊化的時代，全亂了套。所以，身為一個企業家，一方面腦筋要跟上時代沒錯，但心靈更不可背離自然，人是大自然的一部分，只有這樣才會健康，才是清富的企業家。

鳥的叫聲悅耳
飛翔的雲不礙眼
凡是自然的物事
都有其自然的韻律
韻律是生命的脈搏
當脈搏與自然和諧
不論多忙
都會寧靜安詳

為什麼離開經典，
我就無法寧靜安詳？

105

師父說，以感恩的心煮水，才是活水。

讓能量流轉

—— 感恩的心，使心地富足

師父說，寫字是寫心，字是心之跡。

找到內心的韻律，
「道」還會遠嗎？

母雞孵蛋，小雞由裡啐，母雞由外啄，母子同心，
才能啐啄同時，孕出生機。

生命是很形而上再形而上的純淨能量，要把這純淨能量講清楚，確實很難。生命在一種宇宙的韻律中流動，因流動而產生時間，兩者同步存在使我們無法看到時間，要明白時間的存在，唯有靠另外一個座標，時鐘。有了座標生命就不再純淨，接著由一而二而三，而有你我他及宇宙萬物。

人逐漸遠離生命的純淨，想藉著宗教、科學等學問尋找，都找不到答案。生命是自己內在的內在，外來的智識都無法解釋，借禪家的話叫「從門入者，不是家珍」。只有自己親身的領悟，才能算數，因此我們必須好好下功夫，往內心世界去探索。

有一天，在陽明山上走路，上年紀了，以前輕鬆平常的山路，現在走起來居然有點喘。我遂調整步伐配合呼吸的韻律行走，先二吸二呼，到三吸三呼，光只是這樣馬上就輕鬆多了，我因此知道呼吸是我進入自己內在韻律的關鍵。從此在生活中，我就以呼吸作為所有行止的第一優先。

我開始體會呼吸背後，那無聲無息的韻律，如何在體內影響我的思想、心境、情緒以及行為。呼吸是個座標，呼吸平順，心就平靜，否則就有什麼地方不對要馬上調整。如此觀察愈細密，全身就愈鬆軟，會有一種充滿希望的感覺由內升起，自然而然在臉上掛著微笑，看外面一切都覺得很美。

萬物的背後都有一個看不見的韻律在流動。季節到，花就開，這是花的韻律，四季分明是天的韻律，草木一歲一枯榮是自然的韻律，在海邊看波浪，每十三個小浪就會有一個大浪，這是地球律動的韻律。我因此相信地球是有生命的，韻律是地球的脈搏，跟我們人類一樣。

聽說從外太空可聽到地球以「唵」的聲音在轉動，這「唵」是地球上千萬億音聲的總合，它們像交響樂那樣很有韻律地奏出優美的樂章。因此我們如果持頌「唵」的聲音，便可與地球共鳴而使心靈平靜下來。

唵，樹枝傳出了大地的音聲。

地球有地球的韻律，其它行星、恆星、銀河系，甚至宇宙都有其不同的韻律，這些韻律一層比一層高，好像樂譜的C調D調……那樣層層高昇。韻律雖然不同，卻非常和諧地互相共鳴。外在的世界如此，我們內在的世界也如此。愛因斯坦說，宇宙是個生命的有機體。相信這是宇宙中，所有純淨能量流動的韻律所組成的有機體，所以，當我們進入這韻律，符合其節拍，就會充滿生機。

音樂是引發這活生生生機的最好媒介。這媒介使我們內在與外在的韻律共鳴。有一次，去聽灣聲的演奏會，聽了幾十年的古典交響樂，美則美矣！卻沒有這一次的感觸深。灣聲以鄉音般的歌曲扣住了我們的心弦。當茉莉花或望春風的弦律在交響樂中飄出，我全身振顫，眼淚都要掉下來了，那感覺像回到母胎，重溫著母胎裡的溫暖。

母親的心跳與血液流動的韻律，是我們生命中聽到的第一個聲音，它包藏在意識裡永久長存，這是為什麼聽到搖籃曲或鄉音，會覺得非常親切的原因。那是愛與親情的弦律，不只是音樂而

111

已。灣聲的音樂如此，莫札特的音樂如此，但搖滾樂以後快節奏音樂就不同了，因為節奏太快，已不是心靈的韻律，或許這也是近來過動兒那麼多的原因。

禪宗的「破」，乃在破其生活的習性，在破的剎那，人愣在沒有思想的一個點上，從那個點有人可以深入更內在的韻律，有人不能，其因緣因人而異。內在韻律因時節因緣也會有所變化，所以啐啄要同時，內在韻律與外在韻律要共鳴，非有其巧合似的心電感應不可。而心電感應或許就是這內外韻律共鳴時所產生的火花也說不定。

這內外韻律的共鳴，意即天地人在同一個韻律上共鳴，如果地球的「唵」代表地球的韻律，太空的舒曼波代表天的韻律，舒曼波的波長與地球四萬公里的周圍相同，所以天與地本來就存在於和諧的共鳴狀態。人在天地之中，只有人的韻律是變數，所以說「天上天下唯我獨尊」，人是決定性的因素。當我們調整心念同時也在調整韻律，當心靈寧靜到韻律與天地相近時，禪宗所說的「啐啄同時」的火花就會發生。這樣，我們如將生活節奏跟著心靈內在的韻律走，當熟悉了內心的韻律時，相信離「道」也就不會很遠了。各位有志於清富企業家的朋友，「道」並非遠不可及，從尋找自己內心的韻律開始吧！

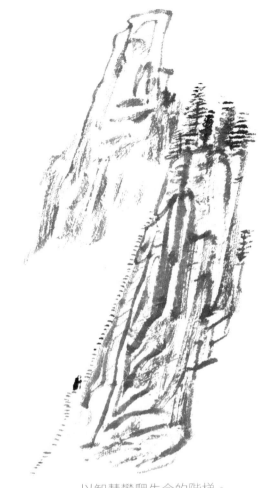

以智慧攀爬生命的階梯。

爬上生命進化的階梯

我們所有的生命體，
其內在最深處含藏著與佛完全一樣的佛性。

我家附近的小公園，常有人遛狗。有一天，一隻狗來到我面前，靜靜地望著我，我也靜靜地看牠。狗好像要跟我講一點什麼，從牠的眼睛我讀不出個所以然。我深深地看牠的眼神，居然感覺到這狗的眼神，似乎帶著點憂鬱。那眼光好像訴說著什麼。

從此，我常對著狗的眼睛看，我真的可以感覺出來，狗的眼睛深處都好像藏著微微的憂鬱。我省思良久，狗沒有邏輯的思維能力，如果不能思維，沒有意識累積的負擔，那憂鬱的眼神從何而來？會不會反而是我自己眼帶憂鬱，才使狗看起來也眼帶憂鬱。每一次到公園，我都會想起這一件事，但始終想不出答案。

有一天，忽然想起，會不會是狗把我們當神看，就像我們看佛像時，總會由心中浮出一種趨向神性的渴望。那渴望如果從佛眼看來，也一定帶著微微的憂鬱吧！人同此心，心同此理，那麼狗貓牛羊，所有生物也應心同此理。那麼，眾生眼裡這深藏的憂鬱眼

神，是不是暗示著牠們也都感覺到，前面有無限生命階梯，等待
著大家慢慢攀爬，不知要爬多久才能休息，這無可奈何的神色，
讓我們看起來，竟成為憂鬱的眼神。

退休以後我開始涉獵量子力學，心得所及常以量子觀念來取代邏
輯思維。在公園沉思不解時，遂改以量子思維的角度來看這一件
事。量子科學推演到「生命能」是宇宙中最微細能量，「生命
能」無形無色，卻保留著大霹靂最初剎那，那最純粹的原始振
動。人的生命如此，所有生物的生命也如此，佛法將這生命的最
基本能量稱之為「佛性」。佛性意味著其生命能與佛完全一樣。
我們所有的生命體，其內在最深處含藏著與佛完全一樣的佛性。
而且，這意味著宇宙是有生命的，宇宙是活潑潑的生命體，宇宙
不是靜止的。

我也有佛性。

師父說，
在生命的道上，
只有孤寂的心聲。

因此，狗的生命也是宇宙生命能的一部分，只是受限於生理構造尚未完備，不能有更高生命層次的思維能力。講到這裡，不知大家有沒有想過，我們人類是最高層次，能思維的動物嗎？好像不是。我們的思維仍受限於五官與六識的限制。比六識更高層次的靈識，例如：靈感、第六感、或心電感應……都不能被我們的感官知覺所掌握。這也暗示著，在我們心靈的背後，存在著更高層次的靈識，等著我們去進化。

進化也有其進化的次第，人類的未來，第一要務是要使自己的腦筋，左右腦能夠平衡，現在的人類當中，只有3％的人左右腦是平衡的，其他97％的人，不是邏輯太強，就是邏輯太弱，太隨興。左右腦平衡的人，都是社會的精英，不僅事業發展得很好，家庭和樂，心胸廣闊，笑容可掬，和藹對人，而且充滿自信，胸中永遠充滿著光明圓滿的感覺。

正如六祖惠能所說：「何期自性，本自俱足」。所謂俱足，應是指這光明圓滿的感覺本自俱足。所以，惠能大師應是我們人類要學習的典範。他又說弟子心中常生智慧。智慧是來自心與宇宙同

步時的啟發。惠能天生心性單純，真能做到沒有妄念的覆蓋。當沒有妄念覆蓋的心與宇宙純粹能量相接時，智慧就產生了，這樣才能使心中常生智慧，所以智慧或靈感都是天的恩賜，不是人為的努力所能及。

我們要以惠能為榜樣，心不起妄念。我們現代的社會已非常複雜，在現代文明，資本主義以及網路世界的衝擊下，如何仍能保持心靈本來的「清」，是一件相當困難的修行功課。惠能以金剛經的「應無所住而生其心」而悟道。其重點在「無所住」。就是說不在某一個思維的點上停留或被纏住。思想像流水，心要像陽光照耀著流水，水動光不動。同樣的，思想一個接著一個來，不要停留在任何一個思想上，或被思想牽著走。只要心如陽光，靜靜地觀照思想的來去就好了。到此境地，就能保住心靈的「清」，也就是我一直提倡的「清富」的「清」。

幾年前，我去爬了泰山，從南天門到山頂，要登爬六千多階梯，當我勉強爬到五千階梯時，業已精疲力盡。遙望前面階梯，有如登天之難。那時，我開始觀想，我已達山頂，在山頂上享受著風

的清涼與茶的溫暖。真是奇蹟，居然只這樣我撐了過去，真的登上山頂。那高興真的難以形容。今天談到生命的階梯應也一樣。要觀想佛在心中，在心中我已是佛，剩下的只是靜看自己如何成佛而已了。

生命的階梯雖然遙遠，但也非不可及。當我再看到狗貓牛羊以及所有生物，我知道牠們都是我生命階梯上的友伴。好像登泰山，前前後後都是嚮往泰山的友伴一樣，友伴同心，我們都同是宇宙的過客。從此，不論看到狗、或貓、或牛羊的眼睛，竟然都會在嘴上泛著微微的微笑。很感謝這小公園的狗，居然教了我那麼多。或許，這正是牠要來告訴我的祕密吧！

心要歸零，茶遂成為藥引。

讓複雜的心靈歸零

在生命進化的階梯上，
當我們看到佛的背影，離佛就不遠了。

當我寫好「爬上生命進化的階梯」文稿，女兒幫我打字時，女兒來問，這篇怪怪的，好像有矛盾。她說：「既然狗沒有思考分析能力，而文章又說不要胡思亂想，不要煩惱過去與未來，要活在現在。那狗不會胡思亂想豈不正是活在現在，這樣不是更好嗎？為什麼說狗的生命層次比人類低呢？」我笑一笑，這大哉問的問題，不是三言兩語可以說清楚，必須慢慢道來。

狗貓牛羊的腦筋只發展到小腦與邊緣腦，牠們沒有皮質層無法思考分析。人類的皮質層分成左右兩半，各司邏輯思考及非邏輯情感功能。左腦像白天，凡事清楚明白。右腦像夜晚，須在黑暗的未知中摸索。幾千年累積下來，人類已偏向於愛用左腦的邏輯，世界遂變成邏輯世界，文明遂成為物質化的文明。

這被扭曲了的現象，老子早就警覺到了。他提出「能嬰兒乎」的藥方。希望將人帶回到嬰兒純真的生活方式。嬰兒天生純真，靠直覺長大，沒有妄念，沒有心機，不胡思亂想。如能如此生活，

師父說，人生如棋，是直覺的遊戲，
不必多想。

美則美矣！但不容易做到。因為生命來自呼吸，呼吸的氧能幫助
腦神經，使記憶活化成為思想。可惜的是我們從來沒有被教導如
何正確使用思想。我們任由思想自由發展，自由攀緣，一個思想
糾纏另一個思想，連續不斷，遂成妄念。

嬰兒的純真，沒有妄念。與狗的不會思想是不同的。嬰兒長大
了，意識逐漸複雜，記憶累積成觀念，觀念又逐漸成為意識形
態，觀念與意識形態又成為每個人的偏見與成見。這才是思想的
病根。要避免這浪費腦能量的病根，我們能不能回到嬰兒的時
代，只在意識第一念初心上跟著時間的移動而移動。不要有分別
念，不要有佔有欲，隨遇而安，這才是正確的思想方法。

為了更容易了解，更容易使用在生活上，我將這只在第一念的初
心上移動的好方法，稱之為「歸零」。歸零在佛法上稱為放空，
但放空常使人茫然，不知如何是好。其實都是同一件事。指月錄
上說：「事來而心始現，事去而心隨空」講的也是同一件事。如
用「歸零」兩字，比較容易用來與現代科學智識相連接。簡單
講，歸零就是讓妄念歸零。

向嬰兒學習，隨時都在
第一念的初心上。

量子科學認為，大霹靂之後，宇宙分成「本體界」與「現象界」兩個精神能與物質化的不同世界。本體界是五到十一或更高次元的世界，這世界像黑洞，能量很高，沒有任何東西，只有像二維資訊條碼的資訊存在其中。這資訊碼在佛法叫業力，在現代網路叫資訊庫。而現象界的空間時間與人間百態，都是從本體界投射出來的幻影。我們的現實世界，其實只是電影螢幕上的劇情罷了。

「能嬰兒乎」是帶領我們反其道而行的重要訣竅。歸零就是隨時隨地要回到現象界與本體界交會入口的那個點。那個點沒有形狀，沒有大小，是所有現象界影像濃縮、再濃縮的一個點。在科學上叫「零點波動」，因為點上什麼都沒有，只有很微小很微小的波動。或許，這個點就是我們凡事要歸零的點。從這個點就進到本體界，成為本體界資訊庫存，或業力資訊庫裡的資訊。

業力資訊庫又因現象界送回來的資訊資料，而搜索出相關業力資訊，融合後再投射出去，成為從腦筋忽然跑出來的思想，這是思想形成的方式，常使人無法控制。當我們知道了思想如何形成，我們就知道，身為一個人，我們該如何在生命進化的階梯上，<u>以正面的思考，來增加業力資訊庫的正面能量，使生命往上進化</u>，而非往下沉淪。

佛法教導人們要處於當下，因為過去與未來皆不存在，而現在隨即成為過去。所以金剛經上說的三心不可得，說的是這個道理。既然三心不可得，人們就不該有任何擔心或恐懼。擔心或恐懼的事，都是已過去或未來未成形的事。把它放在心上，反而會使所擔心的事增加能量，而真的成真。其他如恐懼等負面的事亦同。<u>我們應該訓練自己，時時只在當下，以當下的覺知，觀照眼前的物事。</u>像嬰兒那樣，只在第一念的初心上，安身立命。

狗沒有思想能力，不知什麼是歸零。人有能力學習怎麼歸零以回歸當下。這是兩者的不同，也是兩者在進化階梯上的差異。當我們時時刻刻在當下使妄念歸零，我們將愈來愈接近佛，不管佛隱在我們內心有多深，祂時時刻刻都以最親切的音聲，像母親那樣，召喚著我們。朋友啊！往前看吧！在生命進化的階梯上，當我們看到佛的背影，離佛就不遠了。

學習讓我們複雜的心靈時時歸零吧！這樣才能擁有安樂、開懷、自在的生命。

文化是內心的文明。

兩岸間的善性循環

人間情懷才是中華文化要發揮其善根，成為地球村時代，
能被不同民族所共同接受的文化平台。

在世局的變幻中，近年來台灣逐漸成為重要的支點，這支點的角色使台灣更亂，更茫然不知所措。因為台灣能扮演的，絕對不是政治或經濟的角色。我常說20世紀是物質掛帥的時代，二十一世紀是形而上能量為主體的時代。量子科學是形而上的，資訊、高科技是形而上的，文化、學問、素養、品質⋯⋯都是形而上的。這些形而上的未來才是台灣之所以為台灣的原因。

我一直相信，如果未來的世界真的是一個地球村，一個左鄰右舍親切交往的地球村，那麼這地球村的形成，一定要從不同文化的融合開始。「遠人不服，修文德以來之」，台灣應該修文德以招來世界村的左鄰右舍。台灣是中華文化的重鎮，是修文德的好地方。我因此退休後只專注在民間的文德交流。那就是藝術、學術、音樂、思想⋯⋯的宣導以及愛心的傳播，使深入民間。

尤其是兩岸間的關係，似乎路已愈來愈窄。只有民間的平台才能有些交流的機會，我因此開始尋找兩岸善性循環的未來。多年前台灣有幾位在香港很成功的企業家，他們成立了一個港澳台及大陸愛心獎基金會。獎金很高，每年選十來位獎勵兩岸間善行的典範，我幾次參加評審活動，開始被那些可歌可泣的善行所感動。

其中有個案子，讓我永生不忘。多年前台灣有位退伍軍人，高秉涵，在戰亂中受戰友之託，幫他把骨灰帶回家鄉。他真的做到了，後來，來託他帶骨灰的愈來愈多，家中擺了一大圈還擺不下。他一個一個帶，已帶了兩百多件，在兩岸之間奔波，一點也不覺得疲累。他說：「我抱的不是老兵的骨灰，而是滿滿的鄉愁。」聽說，老兵們都有句口頭禪：「活著做了遊子，死了不能做遊魂」、「活著要回家，死了也要回家」，聽了很令人心酸。

一罈罈骨灰背後都是一個個辛酸的故事。高秉涵有位老鄉叫桑順良，1949年到台灣，相貌堂堂卻一直不婚。1978年過世後，高秉涵看了他的遺書，才知道這老鄉一直在等著和平日子的到來，能回去與未婚妻完婚。當高秉涵將骨灰交給其未婚妻時，那情景不是寫多少「痛哭失聲」可以形容。白髮蒼蒼的她抱著未婚夫的骨灰，穿著大紅禮服辦了冥婚，那情景只能說是「天地不仁，以兩岸為芻狗」了。兩個月後，她也跟著他走了。你看，她與他的故事有多美，那美不是平常人所能了解的美，是老天也無法承受的美。

花以大地的愛為根，
所以人見人愛。

我因此主張，將愛心獎擴大為兩岸間的平台。讓愛心與掉不完的眼淚成為兩岸間看不見的平台。這人間情懷才是中華文化要發揮其善根，成為地球村時代，能被不同民族所共同接受的文化平台。政治大國或經濟大國都不是人類的好方向，只有成為愛心大國才是地球村的未來。在兩岸間延展這看不見的平台，使人心與人心成為一心，我們稱之為善性的循環。

善性的循環由愛心開始，然後進入文化的交流。馬叔禮先生是一位令人欽佩的大儒。幾十年來閉門讀書，不求聞達，從易理到諸子百家思想的整合，不僅學貫中西，而且滿懷熱忱，想把禮失求諸野的中華文化，反哺回育大陸各地。十幾年來走遍大陸、清華、北大、山東大學等各大名校講學。將易理與中華文化有系統地介紹給各界學者專家、學生及智識分子。兩岸之間遂又築起一個看不見的平台。

李哲藝先生是一位了不起的音樂家，他演出逾千場，他的交響樂都是他自編，將台灣民謠譜成全世界皆能欣賞的交響樂演奏方式。台商到大陸投資也有三四十年了，他們的第二代以及嚮往台

灣的大陸朋友，也都很想聆聽這台灣創新的音樂，試想如果在第一流的場合，聽到在悠美的交響樂中，飄出望春風或阿里山姑娘的旋律，大家不會熱淚盈眶，情哽於胸嗎？像這樣的看不見的平台，如能多築幾個，美上加美，確實是放眼地球村，由此起步的好方向。

如果，林懷民、歐豪年、劉國松、蔣勳、龍應台……藝術家、學者、思想家……陸續交織這看不見的平台，相信一百隻猴子的現象^註會馬上出現，使這善性循環成為全世界注目的焦點。把善的循環宏揚出去，使全世界看到中華文化的精華在台灣，台灣的愛心將成為世界的表率。我們從高秉涵學到：「愛心可以穿越生死，成為宇宙永恆的價值」。他不僅帶共患難的同胞回鄉，而且還點出了兩岸間善的循環方向。台灣加油！

註 **一百隻猴子的現象**：一百隻猴子現象是證明集體思考的能量非常大。當大到某個程度，會成為磁場，傳播遠方。在遠方別處如有敏銳的腦筋當接受器，則會有突來靈思出現，而自認為是自己的靈感。此現象孔子稱之為感通，並已為量子力學證實其真。

師父說，內心第二個太陽，是智慧。

喚醒內在的第二個太陽

第二個太陽沉潛在內，
只有知道往內在探索的人，才能喚醒它。

太陽，不論在什麼時候，都很神聖，莊嚴而美麗。因為太陽是所有生命的母親。可是，你知道嗎？除了我們每天看到的太陽，在我們的內在還有另一個太陽默默地存在著。它需要人來喚醒，才會光明亮起來，來與外在的太陽相映輝。

在大霹靂之後，我們的宇宙分成了兩個世界，一個是在內心裡看不見的「本體界」，一個是在外面，我們生活其中的「現象界」。本體界深不可測，冥然無物，只有高能量的存在，像黑洞。這本體界的高能量，像是電腦裡的資訊或訊息，儲藏著古來所有生命殘留的痕跡，這痕跡在佛法裡稱為業力。

現象界是由本體界訊息投射出來的影像，這影像從我們現象界的人類看來是真真實實的存在。其實那只是影像而已。正如金剛經所說：「如夢幻泡影」，確然不誤。

太陽昇起，內心的太陽也昇起。

當我們閉起眼睛，只看到黑茫茫一片，像晚上海洋。海洋表面波浪起伏是我們的表面意識。海洋的底層深不可測是我們的潛意識。榮格說，在人類最底層的集體無意識裡，大家是互通的。但至今我們尚不知怎麼互通，會通到哪裡，我們完全不知道，莊子很疑惑地說是「無何有之鄉」。

這無何有之鄉或許就是這裡說的本體界。而人類的心思意念就是本體界與現象界溝通的媒界。人的心念速度奇快無比，科學家說是光速的一萬倍。人的心念讓人可以自由幻想，可以縱橫於天地之間剎那而至，這應該是微觀世界的量子現象之一吧！

人的心靈像鏡子，在本體與現象界之間互相映照，扮演著媒界的角色。由本體界來的訊息，經由心靈反映出去，形成現象界的電影演出。心靈雖只是媒界，心靈常被凡人添醬加醋，以妄念或情緒扭曲了應有的劇本。這是人生會變得很美或堅苦的關鍵所在。心正反映出正的能量，心不正反映出負的能量。正負能量在人間混合相處，形成了人間百態。

我念佛，天地萬物也在念佛。

人間百態的能量也要回歸本體界中，與古來留下的痕跡相融合，成為個人、團體或全人類的業力根源。我們因此知道，人居於兩個世界中間，我們時時刻刻都在參與著世界未來的變化。真正說來，人是世界的創造者、參與者。人在世界在，人不在世界不在。人是宇宙或世界的中心，所以佛陀說：「天上天下，唯我獨尊。」

人可以改變未來的世界，當然人也可改變自己，改變自己的生命往更美好的方向邁進，這是人所以為人的終極使命。為使自己成為更完美的自己，很多修行人都喜歡以內觀的方法，往內心去開發自己的心智，使表面意識的波浪平靜，使自己的意識很清明地看著自己的覺知，深入更深的潛意識海中探索，當深入得夠深，逐漸接進潛意識的底層，人在這很安靜，安詳的境界中，忘了身體，忘了一切，存在的只是自己的覺知，以寂然的光輝映照著自己。

也不知從何處來的加持，使人覺得非常安詳舒適，有人說是與宇宙的能量相接了。與宇宙相接就是與宇宙的本體界相接，那時覺知愈來愈明亮，終會出現一輪微明的太陽在眼內寂照。這是內在被喚醒的第二個太陽。如果沒有第二個太陽，我們也不會有第一個太陽。第二個太陽沉潛在內，只有知道往內在探索的人，才能喚醒它。

不僅太陽有內外或陰陽兩個，萬物也都有陰陽兩個，所以「一陰一陽」是宇宙的真理。如此推演，當然我們也有外在自己與內在的自己，內在的自己在睡夢時常為外在的自己充電，這種了解如用於生活，也非常管用。例如：當我非常忙碌有壓力，我就觀想，內在的自己很悠閒地看著外在的自己忙碌。如此這般，居然外在的自己就不忙碌，很從容地壓力減輕了。

修行是在喚醒內在的太陽，或熟悉內在的自己。當內在的自己與外在的自己能平衡和諧地相處，這時，沒有任何妄念、情緒或期待的干擾，把自己安住在安安安靜靜的當下，只存在著心靈明亮的覺知，照天照地，這在現象界我們稱之為「得道」。

朋友，看到這裡，你是不是已「見道」了？

如何看山看水，是覺性的素養。

我們都不知道台灣有多好

第一流人才的傳承，與故宮幾千年來精神文明的潛在能量，

才是台灣至今屹立不搖的原因。

舟遊於心，心靜無波，
是真素養。

1972年台灣加入世界不動產聯盟（FIABIC）之後，台灣退出聯合國，國際地位一落千丈，幾十年來都無法突破。直到2011年俄羅斯的亞歷山大主席來台開會，會後當然免不了酒酣耳熱的台式交誼，在卡拉OK熱烈氣氛中，亞歷山大忽然眼帶淚光，站起來嚴肅地說話。他說，他來自俄羅斯，也走遍了世界，從未見過像台灣這麼坦誠熱情的人民，人人敦樸厚實，好客親切，而且把外人當朋友，是世界少有的現象，我知道你們申請主辦世界大會很久了，我們一起來爭取下屆大會在台灣召開吧！

這是我們幾十年來無法突破的期待，這錯綜複雜的國際政治大事，居然在台灣的熱忱好客氣氛下一下子給融解了。兩年後在前台中胡市長的強力支援下，台灣辦了一次讓全世界亮了眼的世界大會。

台灣的好都已深入我們的生活之中，我們都已忘記了，反而須由外來的人才能看出其端倪。這深藏在生活中的素質，才是我們台灣真正的寶。我們的祖先由中原逃避戰亂，一直往南逃，往東南沿海遷移，經過一千多年才到台灣。因此我們躲過了五胡亂華，

五代十國、蒙古、滿清的摧殘。沒有嘉定殘殺、揚州十日的恐懼，我們的腦海裡，一直保留著漢唐以來溫和美好的文化基因。

肉體有肉體的基因，精神世界也應有精神世界的基因。個人的精神基因，又與群體的精神基因，組合而成每個地方不同的文化基因。如果把不同地方、不同歷史、不同人文因素做個分析，便可知道每個地方，其風俗民情或普遍的個性如何了！例如：北方人豪邁，南方人細膩。我們台灣人因保留了漢唐的文化基因，我們的天性比較平和而且親切。

而且逃難養成了我們互助的美德。君不見善款的捐助，從不手軟。日本311海嘯的捐助，80％善款都來自民間。報上屢見小市民以辛苦儲蓄，拿出來捐助救人。社會的好事，真是不勝枚舉。因為我們都已司空見慣，忘了這也是台灣的好。

我想從一個與台灣相反的例子做對比。與台灣同樣是在大國與大國的夾縫間求生存，大陸西北的黨項人就辛苦多了。黨項人古稱羌人，羌人在成吉思汗崛起時被殘殺殆盡。我在麗江聽了一次羌

笛的演奏，聽了一次就永生難忘。羌笛短短細細音聲高而尖，很淒涼的感覺。吹笛的人說，羌笛只傳子不傳女，因為只有羌笛的音聲，能將羌人的哀怨送上雲霄，說與老天爺知道。羌女出嫁，民族的哀鳴就逐漸淡化，甚至消失。

台灣沒有羌人的怨哀，台灣人一直很平和。雖然1949年的撤退，引來一陣社會的不安，但也帶來中華文化的精華與希望。蔣先生帶來全國第一流人才，使台灣經濟起飛。而且故宮的國寶，全都是幾千年來精神能量與文化基因最高的寶藏。能量使台灣亮起來，但大家都把它給忘了。其實，這第一流人才的傳承，與故宮幾千年來精神文明的潛在能量，才是台灣至今屹立不搖的原因。

能量的世界與政治的世界是不一樣的。政治看得見，容易引來爭端；能量看不見，反而被忽略了。其實能量才是引導生命往前邁進的推動力量。如果政治是龍，能量是龍珠，龍珠的能量必須高於龍才能成為龍珠，帶領龍往前走才是台灣未來真正的使命所在。

台灣應該以這得天獨厚的條件，將我們內在的文化基因再往上提昇，不必在政治上與人糾纏不清。二十一世紀是能量的時代了，諸如量子科學、高科技、資訊，以及文化、學問、素養、品質，這些都是形而上的能量，我們要往形而上的世界發展，使人人俱備溫文儒雅的心以及科技涵養豐富的腦，那麼，像世界不動產聯盟主動來邀的事情將陸續發生。

台灣領導人呀！你知道台灣有多好嗎？

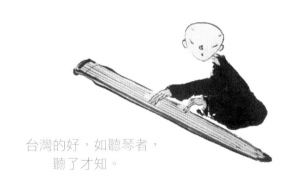

台灣的好，如聽琴者，
聽了才知。

中華文化在台灣，深入人心，成
為悅耳的琴音。

你知道台灣為什麼是寶島嗎？

台灣是寶島，因為台灣是地球真正能量的中心。

九〇年代，統一在崑山設廠，崑山是長江出海口，交通方便，而且自古以來人文薈萃，人才濟濟，不僅是良渚文化發祥地，又有大閘蟹味道鮮美，足見其水質優良，而且人的素養都在水平之上，是食品生產基地之首選。

我常去崑山，才知道一代大儒顧亭林是崑山人。他的著作《天下郡國利病書》是為天下反清復明志士作建國準備之大作。他所談及的大陸山脈風水與歷史人文關係尤得我心。他說：中國氣脈由崑崙山而下，以北中南三條山脈的雄姿環抱整個大陸，其北脈延伸到長白山之後，下日本，入台灣，與南脈由巴顏喀拉山奔騰而來的山勢，下海後在台灣相接。而中脈也在上海、崑山入海，加入了環抱的格局。

這是地球上最大最美的風水格局，格局面向太平洋。風水上，水主財運，又主智慧。當時候到時，財運與智慧注定要在此開花，而台灣正在這格局前方，應是格局的案台。案台必有三牲花果，台灣物產豐富，或許是此原因。

造山運動時，能量高，山就高。山高的地方氣就旺。山的走勢與氣的輪轉常會遷動歷史人文的變化。大陸這北中南三脈的能量以環抱的方式集中在台灣，遂使台灣的移民，自古以來，與別的地方不同，都是北中南各地的人，群聚移民而來。

或許，我們可以進一步思考，把日本統治台灣五十年，看成是北脈輪轉到日本的氣，往南掩蓋了台灣的結果。把台商到大陸投資，視之為是聚集到台灣的氣，推動了台商回歸大陸祖脈的反哺。

台灣承受著不僅來自大陸三條山脈的壓力，而且還有由海底下三大板塊的擠壓兩方面加在一起，擠壓而來的力道，使台灣這麼小的地方，擠壓出玉山那麼高的高山。其氣之強表現在山川，是玉山的雄偉以及太魯閣令人驚豔的美景。表現在社會人文，就很令人感嘆！台灣交通亂，表示人的心亂。台灣政治亂，表示私心重。人心亂，私心重，將使台灣的氣更亂，使台灣沉淪。

人的素養，來自與大自然的共鳴。

氣亂就要理氣，理氣的妙方唯有靠文化的導正，使人的素質提昇。中華文化在台灣已被擱置多時。這時候，我想重提南懷瑾老師的話：「二十一世紀要靠中華文化的精神，來融合資本主義的方法、共產主義的理想、社會主義的福利，才能使世界走向祥和的地球村。」希望這幾句話能成為台灣領導人的晨鐘暮鼓。

未來，台灣將要以文化來引領這亞洲的大格局往前走。其實台灣不僅在未來有此天命，據說台灣在過去也曾有過同樣的天命。在史前時候，台灣已有很高文明。在花蓮、宜蘭、龜山島之間的海底，安眠著古代文明的古堡遺蹟。這樣看來，從遠古到今天，為什麼台灣都有其特殊天命，相信一定仍有我們未知的能量在加持著台灣。

有個朋友是風水專家，他告訴我，地球真正的能量中心在台灣。他說，只要攤開亞洲這邊地圖，就可看出陸地與海洋各居一邊像太極。太極的右半邊在海洋上有個黑點是夏威夷。太極的左半邊

魚也説，台灣，台灣，我愛你。

在陸地上有個白點是衣索比亞。有趣的是，這黑白兩點都生產了世界最好的咖啡豆，其地磁能量一定很高。如將黑白兩點連成一直線，直線與太極中央的Ｓ線相交，其交點就是台灣。

台灣如果真的是地球能量的中心，而且大陸三山脈流轉的氣也正在台灣萌動，那麼今天台灣的天命就很清楚了。東西文化的差異，只有靠中華文化的王道精神，才能使世界回歸正軌。「遠人不服，則修文德以來之」，那「不服」是因文化的差異，那「文德」是內心的涵養。這天命使台灣成為世界之寶，故稱為寶島。

台灣是寶島，所以歷來與台灣有關的接觸，都使情況變好。例如：台灣因為是寶島，所以當日本據有台灣，台灣的資源使日本的貿易逆差轉成順差，明治維新才會成功。台灣是寶島，使蔣先生退守台灣，更創造了台灣的經濟奇蹟。台灣是寶島，才能促成台商回鄉投資，點燃大陸崛起的火苗。台灣是寶島，今日中美貿易的紛爭，使台灣成為關鍵的支點。

我很感恩，因為統一入駐崑山的機緣，才使我改變對風水的誤解，才能領悟台灣真的是寶島，台灣是將使世界走向祥和地球村的寶島。希望這個觀念能重新燃起大家對台灣的信心，使政治人物重新回歸正直的政治良心。

請大家說，台灣、台灣，我愛你。

台灣是世界的能量中心，
那麼我呢？

從愛心到群龍無首的世界大同

愛心是很高很高的生命能。希望每一個國家皆以成為
愛心大國為目標。

有愛心的人，一定很快樂，很開朗。

有幾位企業界朋友在香港創立了個「愛心獎」，希望將愛心的理念發揚到世界各地，到目前十幾年功夫，已引起兩岸三地及華人世界的重視與迴響。可見大家都很認同愛心，只是少有人起來一呼，使四方響應而已。我們希望將平台再擴大，使愛心更為普及，獲取更大認同。

其實，愛心是很高很高的生命能。科學家說，那已是第五次元的頻率，怪不得所有宗教都以「愛」為教義的軸心。宗教是引導人們由第三次元邁向第五次元的心靈橋梁。如果說天堂是充滿愛心的地方，那麼，擁有愛心便可更接近天堂似也言之成理。耶穌的「信望愛」，佛陀的「慈悲心」，都是引導生命進化的智慧語言。

愛心是一種自自然然由內心萌發出來，與他人同心的喜悅感。與人同心是將小我融入大我的初步。同心的幼苗會長成枝葉，愈長愈高，甚至與天同高。那過程是喜悅的。喜悅是愛心的友伴，有愛心的人一定很快樂，很樂觀。

愛心與喜悅是一體的，否則其中一定摻有私心或妄念的雜質。私心與妄念是小我的習氣，很不容易去除。所以神秀要主張「時時勤拂拭」，勤拂拭即是把執著的習氣擦乾淨，使愛心保持其本來純淨無染的生命能，然後才能融入大我成為一體。<u>融入大我是一種很自然的喜悅</u>，這是所有修行人喜歡打坐的原因。

要了解為什麼？我們須從科學的角度，進入深一層的內在世界來探討。我們腦內的皮質層分成左右兩半，左腦主司理性思維，右腦專責感性表現，兩者平衡發展，才能有愛心而不執著於小我的習性，使心靈淨化。淨化的方法很多，我比較喜歡佛法裡的「中觀」。中觀不是折中的中，而是幫我們的心靈昇華到更高次元的方法。我們生活在這三次元的世界，每每被二元對立的現象所環繞。比如增與減對，生與滅對，垢與淨對，來與去對等都是。我們如想脫離二元對立的糾纏，必須開始學習不執著於二元，使自己逐漸熟悉不增不減，不生不滅，不垢不淨，不來不去的新次元觀念。這新次元世界的學習就是中觀。

我在想，如何融入大我。

中觀引導人們由二元回歸一元，其關鍵是「不執著」。只有不執著，左右腦才在平衡的當下。*如果理性而不執著於理性，理性將昇華為般若智慧。如果感性而不執著於感性，感性也將昇華為「慈悲心」。*般若智慧與慈悲心如車之兩輪同步輪轉，遂使愛心源源而出。正如六祖惠能所說：「弟子心中常生智慧。」智慧就是愛心。心中常生愛心，則慈眼看人間，人間處處皆慈。由二元回歸一元，是中觀的智慧，智慧使我們回歸愛心的故鄉。

我希望能以科學的新知來說明才能說清楚。在宇宙大霹靂之後，形成了看不見的「本體界」，及處處清楚看見的「現象界」。人也因此有了內在與外在世界的分割。外在的現象界是內在本體界的投射幻相。本體界的內在深不可測。在兩界之間的臨界點，科學家說，點上有零點振波，零點振波頻率很高，但看起來只是空無的世界，而它正是「無中生有」的轉捩點。這個由 0^- 到 0^+，由負到正的轉變，其轉變非常微細，佛法將之稱為「緣起」。緣起的最初，純淨無染，緣起生成的愛心，當然也純淨無染。

純淨無染的愛心，
是內心燭火。

純淨無染的愛心，由內升起，使身體所有細胞也充滿了同樣的小愛心，個個細胞的小愛心，具有與愛心相同的生命進化指向。這現象有如磁鐵裡的磁分子，個個小愛心也都具備了相同的磁性指向。細胞的小愛心與磁分子的磁性一樣，都是大自然自然無為的現象。這現象在易經乾卦以「群龍無首」來說明陽能的無為與默契。群龍以「無」為首，是最高的默契，像群鳥空中飛，群魚水中游，都是群龍無首，無為的自然默契。

我因此領悟到，世界大同應該這樣形成的，絕對不是由東方或西方誰將對方兼併，然後才走向世界大同的。兼併是霸道行為，只有王道的無為，像「遠人不服，修文德以來之」，才比較接近群龍無首的自然無為。因為文是文化的感召，德是愛心的呈現。修文德以愛感召，才似乎可看到世界大同的雛形。

我不知為什麼全世界都只在政治及經濟上競爭。這風氣已把人心複雜化，把環境汙染到不能生存的邊緣。我因此一直呼籲是改變方向的時候了，我們要追求GCP的成長，而非GDP。C是文化，尤其是有愛心的文化觀，愛心是文化的養分，文化是人素養的培養根源。由根源萌芽灌溉，才看得到世界大同的未來。

因此，希望每一個國家皆以成為愛心大國為目標，而非政治大國或經濟大國。謹於此向胸懷愛心的人致敬，向為「愛心獎」出錢出力出智慧的所有人說謝謝。

蜻蜓知道，大自然任何地方都美。

以跳舞的心情走這一趟人生

在心中吟唱我喜歡的曲調，或念佛，或持咒，
或只在一片靜寂裡神遊，以進入無須有之鄉。

在工作中，吟唱自
己的曲調。

好多年前了，我去接女兒下課，看她老遠高興地跑過來，這影像一直深入腦中，成為至今不曾消失的記憶。我常在忙碌喘口氣，或疲累深夜時候，觀想這盤旋而來的影像發呆，思考這一生的路怎麼走？要跟別人一樣，走一步算一步。或像女兒那樣，以舞步般的愉悅，瀟灑地走下去。我選擇了後者。我不喜歡呆滯平庸的人生。

想瀟灑地走這一趟人生，並不容易。人生漫漫，一定有許多意想不到的挑戰，沒有挑戰的人生，軟綿綿的，不會精彩。期待以舞步般的心態度日，必須養成更積極樂觀以及不貪求、不生氣等不容易做到的習性，來面對每一件事才行。有一次，開會時高老闆發問，現在我們統一麵上市了，誰有興趣來負責廣告。我看沒有人回應，我就舉手說我來做。沒想到廣告開啟了我對行銷的熱忱。可見舞步帶來的積極樂觀，有多重要。

我在統一之前，年少輕狂，又愛舞文弄墨，遂在當兵時候就創辦了「草原雜誌」，並以「源自傳統，傲視現代」為草原宗旨。沒想到沒多久就把父親給的資金花光了。在這挫折中，父親並沒說

過一句話。沒說一句話，反而讓我學會了「感恩」，也磨掉了我年少輕狂的少年傲氣，並使我開始體會，如何將挫折昇華為更高次元的心得，以提高自己的眼界。例如：蘇東坡經歷了許多人生的不平，但他總能將不平轉化成詩的心情，寫出「十年生死兩茫茫」的千古絕唱。詩的心情是人生中不可或缺的智慧，也是每一個想以舞步度日者的必修課。

我在統一五十年，統一是個會讓人眼界大開的公司。高老闆是位天生的企業家，他氣度恢宏，非常樂觀，令人嘆服。他常對人說，我沒讀什麼書，請多教導我們，然後是他那出了名的哈哈大笑。說來慚愧，我一介書生，喜歡看書，卻還要百般思考，思考如何才能愉快地以舞步般的心情邁入人生旅程。而高老闆完全不同，他不用思考，他能隨機敏銳地反應出內在的器度與智慧。這是很自然的直覺反應，是無為的。而思考是有為的。有為與無為的差距，很難企及，而這正是我們想學舞步的人一生的功課。

柳枝無為，故美。

高老闆天生具有驚人的想像力，一出口常是不按牌理的絕佳想法，有一次我們在討論大宗物資的運輸成本，他忽然有如神助地說，那麼我們就在永康與公司之間開一條鐵路，把袋裝改成散裝。這樣，我們居然在兩年之內就回收了成本。過了沒多久，他又提說，要實行事業部制。至今回想統一如果沒有當年事業部制的組織方案，統一不可能有今日規模，以及井然有序的管理。事業部制世界僅有，而且非常符合大自然的運作規則，但有個條件，<u>必須有個無為而治的領導人。</u>

無為而治，在易經乾卦有一句「用九，見群龍無首，吉」，談的就是無為而治的道理。陽剛過盛了必須轉柔，否則有悔。所以絕頂聰明，如不謙下，定會出事。這是自然的規律，沒有例外。當陽剛盛時即為「首」。如能轉柔使盛氣不見，是為無首。<u>一個領導人，居在上位而能謙下樂觀，帶動出來的企業文化，也將一樣人人謙下樂觀。</u>統一內部從來就很和諧，或許是此原因。

有為與無為之間，有什麼距離呢？

統一的事業部制皆由專業的人當主管，在上位的領導主在深入了解每位主管的人品與能力，可以說重在管人，事由主管去專權負責。但做不好就馬上換主管。我們評估的方法是，要求每個主管每個月底都要提出業績的預估報告，如果常常預估差太大，就知道要換主管了，事業部的主管要能充分發揮，必須有上面的充分授權，因此群龍無首的觀念真的非常重要。

我知道，高老闆絕對沒有學過易經，不可能知道什麼是群龍無首，我因而體會到，<u>學問是後天的，直接與先天接軌才是智慧方法</u>。所以，一個企業家的養成大部分來自先天，後天的關連可以說不大，政治領導人也一樣。前天朋友送我一本書《第三支柱》（the third pillar），它認為全世界在國家與市場的開發已到極致，應該回到更實際的基層社區開發，給社區更多資源與授權。（像統一的事業部），使各社區自由發揮其特性，這樣居民才會更喜歡自己的社區，貢獻己力，因而感覺有成就感。台灣花太多精力在政治與GDP的追求了。台灣應該按《第三支柱》的建議，使台灣幾百個社區，一個晚上百花齊放，各有或地方特色或文創或藝術或人文……的特點，光是想到這裡，人就又興奮了起來。台灣的領導人啊，為什麼不喝杯咖啡，好好思考一下呢？

我已退休多年，只宜管山管水不管世事。腦中常出現那雀躍而來的影像，使我放不開，仍繼續想在退休的歲月裡以積極樂觀的舞步走下去。我定期參與年輕人活動，體會他們的腦筋在想什麼？例如：我很擔心現代科技會把人類帶到相反的方向。人與人的介面應該是情感，如代之以機器人的冷漠，我真不敢想像，我如何帶著機器人，踏著舞步走下半生呢！

跳舞一定要有音樂，我喜歡在心中吟唱我喜歡的曲調，或念佛或持咒或只在一片靜寂裡神遊，以進入無須有之鄉。或許我將在內心裡以跳舞的愉悅走下去。在此不敢藏私，寫出來也當是野人獻曝吧！

我能像這樹，在靜默中，也生機昂然。

文字是書的心靈。

生命裡幾件有啟發性的思考

隨時保持愉悅樂觀的正能量心態，
那麼生命就會往更高層次的次元提昇。

母親年輕時喜歡插花，她曾在插花時談及，插花是一種「借景」藝術。把外面景色借進來，使屋子也有林園之美。她說聽插花老師講，花是有生命的。剪花時要溫柔一點，並告訴花，放心，只是幫妳理頭髮，不會痛的。當時年紀小，覺得有點不可思議，也並未絕對相信。

1966年，一位美國CIA前雇員，開創了測謊器操作規則的貝克斯特（Backster）先生。有一天心血來潮，把測謊器夾在植物上，看植物會有什麼反應。發現植物也有持續不斷、複雜的電流活動。他遂又起了念頭，「我要用火燒你」，並作點火姿態，在整個過程中，植物不斷地「尖叫」。

有一次，貝克斯特忽然嚇醒了他的貓，連旁邊的紫羅蘭也測出了「尖叫」。他又把雞蛋一個個放進沸水中，每個雞蛋都會尖叫一下，這使我們知道，不只人類有意識反應，動植物與其他，都具有不同方式的意識反應。

二十幾年前，朋友介紹了江本勝先生，他將水置於零下5度C中拍攝其結晶變化。發現水居然擁有記憶。當他在水瓶上貼上「混蛋」標籤，水的結晶變成亂七八糟，不成形狀。如果貼上「謝謝」或「感恩」標籤，會出現很美很平衡的水結晶。從古代就有「語靈」的說辭，佛法也有「文字般若」的教示，但人們只知其所當然，而不知其所以然。這是第一次用照片證實其真實性。我把此書在台灣出版，隨即成為各寺廟宣導善心的教科書。

江本勝先生曾在阪神大地震時，拍攝了地震各地的水照片，發現地震的水都變得非常紊亂，有恐慌驚嚇感覺。在經過全世界的愛心救助、捐獻與慰問，幾個月後，水又恢復了其本來的容貌，這現象所代表的意義非常重要，我們必須再深入探索。

我們如果從「宏觀」、「微觀」及「超微觀」三個面向來看這個世界。宏觀是身外所有可見世界，微觀是科學人文的內容與人的表面意識世界，超微觀則是更深的潛意識以及脫離科學領域而進入不易領會的量子世界。量子是小到不能以物理規範的能量，有

山水林木，處處顯露宇宙的生機。

些量子學家說量子是思想而不是物質，甚至更激進的，有人已提出量子是靈魂的靈能。整個宇宙由量子或靈的能量所組成，宇宙是有生命、有思想的有機體。

以這三個面向來檢視前面所提的幾個現象，花木有感知反應，動植物有測謊反應，以及水有記憶，這些都是由宏觀進入微觀時，得到的新解。如果能由微觀再深入超微觀，或許可以對宇宙有更多了解，甚或了解生命的真象。我曾邀一位以色列的水專家來統一演講，他認為人的念頭是一種很抽象的微細能量（或可稱為量子能量），在念頭出現後向四面八方幅射出去，部分被身體及外界的水所吸收，在水的分子鍵中物質化，而成為水的記憶。

這樣就愈來愈有趣了。在人類與整個世界中，水都占70％的比例。如果水有記憶，人起心動念的念頭，都會在水裡累積成記憶。那麼個人各有不同的習氣，嗜好與個性是不是也來自相同的原因。怪不得習氣、嗜好、個性都不容易改變，原來思想都已在水裡物質化了。不僅如此，歷史會重演，應該也與地球上的水有關。

幾年前，有一本同步鍵的書（The Synchronicity Key）收集了許多事件與資料，來證明歷史會重演。例如：雙魚座時代的美國，在二次大戰中與德國為敵，書上說這是白羊座時代，羅馬與迦太基的第二次皮匿戰爭（Punic War）的重演，美國是羅馬的再現，德國是迦太基的重演。我雖半信半疑，也不得不好奇地繼續探索下去。

人起心動念的微細量子能量，累積在水中，居然有那麼大的影響力，這讓我們不得不省思，我們生活方式對嗎？寫到這裡，也想以婆媽之心建議大家，不要讓心散亂下去吧！修心養性才是唯一解藥。如何解？南懷瑾老師告訴我們，方法是有的，只怕不能持之以恆而已。我們只要以內在清楚明白的覺知，觀照當下事情的來了又去，不要理會任何妄念的打擾，這樣就對了。古人說，雁渡寒潭，雁去而潭不留影，就是這個意思。

分別心是妄念，占有心是妄念，不讓妄念滋生，水就會健全。如能更進一步，<u>隨時保持愉悅樂觀的正能量心態，使存在水中的都是正能量，那麼生命就會往更高層次的次元提昇。</u>所以，快樂一點，回家時向家裡的盆景或插花讚美幾句，花將以更美的姿態迎接你，而你也將從中回收愉悅的正能量。

朋友，我們的生命是這麼奇妙，宇宙中所有生命都是一體的，好好與所有生命在美好中打成一片吧！

歷史會重演，居然與水的記憶有關。

也與我的前世今生有關。

163

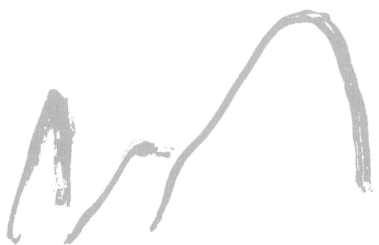

山外有山，生命的外面是不是有更大的生命？

其實，人人皆可成為菩薩

要由凡夫成為菩薩成為佛，並非不可能。
只要回歸到上帝粒子的老家就行了。

曾經聽過一個公案，一個學生問老師，當千手千眼觀音菩薩，一隻手出去救度眾生時，其他999隻手怎麼辦呀！老師也一時不知如何回答，當然這只是個笑話。但笑話背後隱藏了許多值得探討的道理，我們來好好談一下。

我們的意識有個界限，我們無法了解潛意識裡面到底是怎麼一回事，無法明白在潛意識與表面意識之間，是如何互相影響，互相攝入的。這問題自古而今都無法說清楚。西方心理學雖有所分析，也只是皮毛而已，無法透澈。東方學術思想浩瀚，也都未能深入到潛意識的底層，去了解生命到底怎麼一回事。當然，在佛家道家不乏造詣很高的高手，可惜的是，僅止於個人的成就或解脫，沒有成為智識，普惠眾人。

直到最近，瑞士CERN宣布已找到宇宙創始時的最初粒子。他們很興奮地說，這是上帝粒子，學名為玻色子（Boson），從此量子學家才對宇宙如何形成，生命如何發生，有了信心，並使量子力學逐漸成為顯學。本來愛因斯坦說，宇宙是個思想體。現在量

子學者說，宇宙是有生命的靈性體。思想體與靈性體的差異，只因在上帝粒子被發現的前後，人們對基本粒子的認知不同而有不同解讀。

上帝的粒子或玻色子，是完美純淨的超弦粒子，有能量，沒有質量，但很快就衰變為有質量，有能量的費米子（Fermion）。有質量與沒有質量是物質與非物質的分界線。然後，費米子再衰變，形成以後所有較大粒子，像夸克、中子、電子、原子，都是帶有質量的粒子。我們可以說，物質是由費米子所組成，非物質是來自純淨能量的玻色子。

NASA說，宇宙中物質只占4％，其它有23％是看不見的暗物質。暗物質是已物質化，還看不見的費米子。例如：當我們心生妄念，妄念看不見，卻已是物質化的能量。物質化的妄念會汙染心靈是此原因。另外的73％，全是暗能量，暗能量有能量，沒有質量，也就是上帝粒子或玻色子。玻色子滿布天下，不僅深藏在潛意識的最底層，而且也遍布在物質與暗物質的最底層。所以說宇

宙是由單一的上帝的粒子所組成。有史以來，我們耳熟能詳，卻講不清楚的空性、自性、本來面目、阿賴耶識，以及空或無，原來它們都是上帝粒子很微細、很純淨能量世界的代名詞而已。

所以，要由凡夫成為菩薩成為佛，並非不可能。只要反其道而行，回歸到上帝粒子的老家就行了。這就是所謂的「修行」。修行首先要明白道理，例如：什麼是明心見性，你知道嗎？<u>當一個人心不起分別念，心就明，叫明心。而當心不起分別念時，心靈裡的空性就會顯現出來，叫見性。</u>金剛經提示心無所住就是空性。在空性中呈顯純淨的心，這是心靈的內空。心經也強調無所得，無所得是不讓外界事物來干擾心靈的空，叫外空。由內空、外空、以致於十八空，都是對空性的理解與深入。

為什麼要談這麼多空性，因為這是菩薩修行的基本功課。從空性的認知深入，可以喚醒中脈。我說喚醒，因為平常所理解的中脈僅止於脊椎的有形中脈，我們要喚醒的是看不見的無形中脈。無形中脈的「中」，不是左右中間的中。在時間上，中是當下。在

空間上，中是當前來去的事物，能夠時時刻刻在當下的覺知中處理當前事物，而不為所動是為入空。所以無形中脈又稱空脈。無形中脈是心靈與宇宙的空性相應成為一體的基本原因。

當我們的無形中脈打開，無形中脈由內而外瀰漫開來，我們的心靈遂與宇宙逐漸合一。這時我們的心靈由二元的，有生滅、有垢淨、有增減，昇華到心經所描述的不生不滅、不垢不淨、不增減的新次元一元世界。由二元回歸到一元的心靈，是成為菩薩的必要條件。

這樣看來，成為菩薩是有步驟可循的。雖然在生命進化的路上，還有一段距離好走，我們如把菩薩當作是走在前面的典範，菩薩有千手千眼，我也觀想我也有千手千眼。菩薩發願要救度眾生，我也發願要救度眾生。菩薩不起分別心，沒有妄念，我也要做到不起分別心，沒有妄念。菩薩臉常帶著微笑，我也將時時臉上帶著微笑。這樣一直往前走，當然菩薩是我，我是菩薩。就成為事實了。

朋友，如此了解，就沒有當菩薩一隻手出去救度眾生，其他999隻手怎麼辦的疑惑了吧！菩薩的手是菩薩的願力，手上的眼睛是菩薩的慧眼。<u>所以菩薩在任何時候，願力與智慧一到，救度就到</u>。沒有任何時空隔閡，這樣才是「應以何身得度者，即現何身而為說法」的精妙所在。

帶著微笑走出去吧！世界這樣光明，我也將光明帶給世界，因為你也已經是菩薩了。

我如何才會有千手千眼？

日本文化中的禪，來自中土。

日本民族性格中的粹與櫻花

由玉到劍產生了武士道，由劍回到覺醒是禪的開始。

風動，自自然然樹也動，
劍之禪風也一樣。

要談日本民族的性格，須從徐福談起。大家都知道徐福帶領五百童男童女赴日的故事。卻少有人去思考，這幾千人出逃時的心態，會帶給後代什麼心靈上潛在的影響。用現代的觀念來說，出逃時的憂慮與恐懼會形成一個能量場，像一百隻猴子[註]的現象，隔著時空影響子孫後代的心靈狀態。例如：出逃時的每一個人，其生命意識只集中在生死關鍵，分秒之間的眼前一刻。相信這是武士道或櫻花生命雖短，卻被視為極為珍貴的原因。

徐福是道家人物鬼谷子的學生，他與孫臏、龐涓同為當年的知名謀略家。在他們的年代，離荊軻刺秦王那驚心動魄的史實只有十七年。「風瀟瀟兮易水寒」的震撼猶在。當然這對謀略家而言，一定會有所衝擊。使徐福選擇了更穩當方式，騙了秦王，開闢出一個新天下。

很多證據顯示，徐福就是日本第一代天皇，神武天皇。當然，日本人絕不承認。徐福是山東齊人，現在日本姓齊藤的最多，而且

[註] 一百隻猴子的現象：詳見129頁。

師父説，沒有禪，就沒有武士道。

姓氏與秦（HATA）發音相同的，一定與徐福有關，像秦、畠、畠中、羽田等等，前日本羽田首相還自稱是徐福的後代呢！

日本皇室有三件神器，是證明皇家身分的信物。一是彎曲的和闐玉，二是戰國的劍，三是銅鏡。都是當年始皇帝委託徐福帶給仙人，交換仙丹的禮物。近代學者九鬼周造有一本書「粹的構造」，以日本自創的「粹」（iki）這個字，很技巧有系統地將三件神器所象徵的精神，用來說明日本民族性格的來源。他說，「粹」可以說是日本民族的魂。

「粹」的魂要從玉說起，他說玉象徵自然，象徵仁。日本民族原來非常敬畏自然，以致將對自然的崇敬演變成為國教「神道」。其實這與中土古來的敬天觀念並沒兩樣。其中必有淵源的線索可尋。德川家康時代，有位儒者林羅山，主張神道是堯舜之道，是王道與儒道結合起來的聖賢道。後來因政治複雜化了，而有不同意見出現，那就可不予置評了。

然後談「粹」的第二神器，劍的精神。劍象徵骨氣，象徵勇。骨氣的日文「意氣地」（ikiji），是一種因崇尚生命的珍貴，而不肯屈服於欲念的凌然之氣。（這凌然之氣應是孟子浩然之氣的翻版），對骨氣或凌然之氣的堅持是武士道精神的主軸。宮本武藏一生，總是在面對生死的決戰而從未退縮，那凌然之氣，使他贏了就走，非常灑脫，沒有罣礙。這是真正武士道的骨氣。

然後是「粹」的第三個精神，銅鏡。銅鏡象徵斷念，象徵智。日文斷念是指一個人在歷經人生總總困境，嚐盡人間冷暖百態之後，由內心升起一種想回歸平靜，在平靜中度日的覺醒。宮本武藏在打敗小次郎之後，回歸家鄉，安度餘年，這也是銅鏡智慧的映照吧！

朋友，你不覺得這智仁勇的精神，跟我們的三達德也是很像嗎？九鬼再將這三神器的精神進一步說明，認為由玉到劍產生了武士道，由劍回到鏡照的覺醒是禪的開始。所以武士道與禪不能分

家。這是武士高手一定要打坐或禪修的原因。後來武士道式微，禪道脫穎而出，深入民間，成為茶道、花道、香道、建築、藝術……之日本文化特色。

在「粹」之外，日本還有另一自創的詞「侘寂」（wabi sabi），日文「侘」是指在簡單樸素中的寧靜。「寂」是放下執著後的平靜胸懷。因此，「侘寂」遂意味著在不完美中，體會其完美的美學。千利休最喜歡用侘寂的哲學。他以「和敬清寂」為其思想中心。主張以簡單粗樸的茶具，在平實中喝出茶道的特殊韻味。味是茶之質，韻是人的素養。人須養韻，茶方有味，這才是侘寂的古風。

一個人的心中，必有一個生命的韻律存在，那韻律如與天韻相接，合而為一，寧靜中的美感就會呈現。神道中有天的韻，武士道中有生死剎那的韻，覺醒的心靈自有其自己依歸的韻。茶道能入禪，其韻更深。在櫻花中看到剎那美，那美的韻更濃。從自然，到粹，到侘寂，到櫻花，必須深入這形而上的韻，才能體會日本或東方文化的微妙處。

我家有一棵吉野櫻，吉野櫻的花，粉紅帶白，很幽雅。現在正是花開時候，我將每天看它怎麼成長，怎麼展現花的幽雅。幾十年前去日本上野公園看櫻花，在人山人海的花痴中，與人一起野宴，當一陣風來，櫻花散落，看大家以酒杯去接迎那飄落的櫻花，接到了，就很高興地將花一起一飲而盡，那豪放瀟灑的美感，至今不能忘懷，看來這也是日本文化深入生活中的另一種「韻」吧！

侘寂，在不完美中，體會完美。

心地光明才是防疫之道

保持心靈的平靜，時時與大自然融為一體，
才是與病菌或病毒好好共生共存的方法。

心如此水，光明自照。

這次新冠病毒，在很短期間，橫掃全世界，使急駛的文明列車，頓時剎住，所有人類被震得驚慌失措，至今尚看不到終點。我們不是專家，只想以雖然外行，卻比較宏觀的角度，來尋找有沒有被專家們忽略了的脈絡，可供參考。

我們的世界，自從由以物質為主的時代，進入二十一世紀非物質時代以來，新科技突飛猛進，令人無所適從。老一輩的提早退場，年輕的一輩迷失在虛擬的世界，與世界隔離。人類不知道如何對應這種新的生活方式，只好盲目地跟著時代走。於是電磁波的使用愈來愈廣泛，也愈來愈強，強到已危害健康而不自知。而且4G落後了，5G、6G、7G一個個登場。雖然天空仍然晴朗美麗，但看不見的電磁波已成為人類的殺手。

本來在農業時代，人與人的界面是情感。溫情使人的內在與外在世界和諧相處。現代的新科技已使人情逐漸淡薄，當人與人的界面由冷漠無情的機器人或科技產品所取代時，我們每天所接觸的器物，也逐漸提升其能量的次元。外在世界次元改變了，微觀世界的生物也會隨著改變，甚至超微觀的病毒，其次元也會跟著改變。

本來細菌只是幾個奈米的大小。現在出現的病毒，比起細菌又更小更小已是超微觀的生物。這生存於超微觀世界的病毒，其次元離我們人類非常遙遠。試想用大石頭砸得到螞蟻嗎？或許這正是今日疫情的盲點。

二千多年來，在雙魚座的時代，邏輯的對立思維掛帥，人類習慣於非我族類即是敵人的對立觀念。但大自然是一體性的融合，弱肉強食的對立只是生態平衡中的一小段。所謂平衡是：把各不同次元的世界，視為一體，就會發現融合才是大自然的真理。太陽的能量來自氫融合，未來的能源只能來自氫融合才有和平。對立的思維，是人的有為，融合才是大自然的無為。

二十一世紀的水瓶座是融合的時代，凡事都要回歸到宇宙一體的原點來思考。擁抱對立思想的人，只顧自己，不管別人，定會被逐漸淘汰。其實，放棄對立的思想並不難，我們只要心靈平靜下來就行了。在平靜下來時，如果內心仍存有什麼不能平靜的葛藤，那麼就跟那葛藤和解吧！和解的方法也很簡單，只要在內心裡原諒對方，或請對方原諒你就行了。非常管用。甚至與父母長

風來，樹搖，葉飄落，一切非常自然，
這也是生命的面貌。

輩或兒女後輩，也都可以用此方法和解，和解了就融合成一體，
平靜的心靈就會回來。

我有一個朋友是研究SARS專家，他告訴我，在顯微鏡下與細菌相
處久了，逐漸熟悉而成為朋友，並為它取了名字叫Peter。有一天
他告訴Peter，請往右邊移動一點，它真的移動了。心的力量這麼
大，心電感應也就沒什麼稀奇了。

我相信這才是融合之道，把萬物或花或草或細菌，都當朋友看
待。當然，我們不必故意去親近病毒，但以對立的態度來害怕也
沒什麼道理。人要生存，病毒也在求生存而已。我們如視病毒為
魔，大自然也將視我們為魔。魔與魔爭戰不休，反而又回到原始
沒有文明的社會。其實，每個生物或每個人都可能是病毒的載
體。如果我們能保持心靈的平靜，時時與大自然融為一體，多一
點休息，晒點太陽，在山川林木中悠遊，多歡樂，多走動，少憂
少惱，回到農業時代的生活方式，慢慢的，免疫系統就強化，相
信這才是與病菌或病毒好好共生共存的方法。

古代如有天災瘟疫，皇帝要下詔罪己。慈禧太后逃到西安，正逢西安久旱不雨，遂請虛雲（當時叫德清）主持法會祈雨，沒想到真的傾盆來雨而解旱。我相信這不是神通，神通的背後必有其科學的道理。法會是一種藉主法人的功力，進入超微觀世界，與超微觀世界裡的負能量和解或平衡。當負能量回歸為正能量時，天人也就回歸正常了。這樣看來，天災瘟疫，或病毒，都是人心變壞所引發的結果吧！

佛法裡有「百光遍照瑜伽王法門」，聽說可以以光遍護全身。這個法門我不懂，但顧名思義，我們似也可學習，以心地的明光，遍照身體內外，浩然正氣便會油然而生，相信這不僅為了防疫，也為了健康，我們都要好好修習的功課吧！

微觀心靈，與微觀世界的平衡。

三心不可得，不知掃地要用哪個心？

入華嚴的立體思維

過去，現在，與未來都濃縮在剎那際點上消失，
所以說三心不可得。

我有位朋友，馬叔禮老師，是位真正做學問的讀書人，他治學的精神很令人敬佩。幾十年來，只一心讀書，不出門，不交際。我問說，這樣不是很寂寥嗎？他笑笑，我喜歡跟古聖賢相往來，其中樂趣，只有自己知道。

他說，與古聖賢相往來，要誠心誠意視古聖賢為當今好友，深入他的思想理念、時代背景，以及生活細節等。久了，誠心誠意所形成的磁場，會突破時空，與古聖賢的生命磁場共振而成忘年之交，或無古今之交。讀孔孟如此，讀老莊如此，如此讀書，很像在現場聆聽交響樂，其感受是與聽CD完全不同的。

馬老師又說，以這神入的方式研究易經，效果奇佳。因為易經本就是活的真理，千百年來都被讀死了，變成索然無味的哲理書。在孔子的時代，易卦要以竹簡掛在牆上四週（所以稱為卦，卦者掛也）。人在中央，從四方分布的爻辭中尋找其中相關聯的脈絡。例如：這裡談到牛，那裡也談到牛，在牛與牛之間拉上一條無形的線。當無形的線滿布空間，易經的神經系統就在腦海裡活起來了。

師父說，華嚴與易經可以互通！

易理在腦海裡活躍了起來，取代了本來的邏輯思維方式。邏輯只是二元的對立，而易理是多元的變化。可以四面八方兼顧，不會有偏見差錯，不會有人為的分別心干擾。如能以易理的思維方式，來進入潛意識裡超微觀世界（例如：華嚴世界）裡探索，或許將更有趣。

易經是古老的傳承，我相信易經有如此高的智慧，古代人的腦力絕不會比現代人差。至少在那時代，人的思維也一定是跟易經一樣，是超越時空，不受時間束縛，可以天人往來任馳騁，比現代人自由活潑多了。當我接觸了華嚴經，才知道原來在當時華嚴經也是一種思想或思維方式的革命。怪不得佛陀初講華嚴沒有人聽得懂。

我年輕時常思考，佛陀夜睹明星而悟道，他究竟悟到了什麼？因為華嚴是佛陀悟道後，講的第一個法，所以答案一定在華嚴經裡面。所謂「悟」，他一定是超越了表面意識，進入更深層的隱密世界，發現了什麼新的體會這樣才能叫「悟」。

大自然以鳥飛的姿勢，飛入我們的本心。

平常人在睡覺時，腦波在 Theta 波狀態，時空的感覺消失了，如果是由打坐進入 Theta 波時，人好像睡了，也好像作夢，也很清醒地知道周遭與內心的一切，這時人的覺知可以從潛意識的最底層，來看表面意識所感知的內外狀態，這種感知是全面性的，我不知怎麼名狀，姑且稱為「立體思維」來與「平面思維」有個區分。

華嚴經之所以神祕，乃因它所呈現的，都是從潛意識底層來看人世間的所有世態變化。這與量子論所描述的超微觀世界，幾乎完全一樣。量子論把宇宙分成隱形與顯形兩個世界，在兩個世界的交點上，有個零點存在，而且在零點上尚有無形的能量波動。在零點波動的零點上，沒有時空、沒有過去、現在、未來。而在華嚴經也提到了有一個「剎那際點」，其性質也幾乎與零點波動完全一樣。

我們因此了解了真相，時空在這剎那際點上消失，過去、現在與未來都濃縮在這個點上，所以說三心不可得。金剛經所說的完全

是這種立體思維下看到的真實現象。當然，佛經所提到的一些有名的句子，像千劫萬劫只是當前一念，「於一毛端。現寶王剎。坐微塵裡。轉大法輪。」凡此種種，用立體思維的角度來理解，就不那麼抽象了。

從我家遠望，可以看到遠山的雲靄變化，很美，很美。有時看久了，那無古今的感覺，偶爾又會出現。剛剛又看著遠山出神，居然錯把遠山當終南，剎那間我與陶淵明幾乎分不清誰是誰？只聞「採菊東籬下」的名句，在腦中迴盪了起來。我向陶淵明問安，說，改一個字如何？用「賞菊東籬下」，只要賞，不必採，豈不更好。陶淵明笑笑，我知道，默然中的微笑，必有無古今的情在。我很高興，我又多了一位無古今的好友了。

沒想到馬老師「超時空，無古今」的讀書方法帶給我那麼大的啟發，也讓我了解了華嚴世界的立體思維，我相信這才是佛陀悟後想告訴世人的重要訊息之一吧！

要先成為愛心小沙彌，才能成為愛心滿滿大和尚。

文化帶來九二共贏的機會

以「非攻」為政治主張，
以「兼愛」來做為經濟發展的推手。

年輕時候，我常胡思亂想。那時困惑我很久的是：地球以逆時鐘方向轉，為什麼文明是反過來，以順時方向發展呢？古代文明由中原印度起步，經希臘羅馬時代，接上歐洲文明，然後英美崛起。於是舊金山、夏威夷、日本、亞洲四小龍，以及大陸東海岸，一個一個亮了起來，目前又回到中原與印度這一條經線，剛好地球轉了一圈。

有一天，去登泰山，在帝王封禪地方虔誠地繞了玉皇頂七圈。古來規矩，參拜佛寺要以順時方向左旋。這時我忽然醒悟，原來如此，答案就在這裡了。天道左旋，地道右旋，物質要隨地而轉，思想文明須跟著天轉。天旋與地轉默默中成了人類思想行為的推手。

從此，我不在利害關係上傷神，只針對是否符合大自然規律來作決策依據，因正則果正。我的工作是食品，我就開始研究食品能量。我們在礦泉水源播放大悲咒，水能量真的提高了。在醬油酵素播放心經，原液的胺基酸居然提高了。在純喫茶包裝上寫小故

事，銷量倍增。凡此種種，做了很多實驗。有人批評，有人讚同。但目的只有一個，以心靈的能量，深入產品內在，使產品與大自然相呼應。

個人如此，整個世界也一樣。科學家說，整個世界能量正在增加，我們的社會已由物質時代提高至以能量為主的時代。這幾十年來，高科技突飛猛進，使我們老一代的適應不來，要提早退場。年輕一代尚在眼花撩亂之際，被迫要提早接班。本來人與人之間，人與自然之間都存在著很有溫度的情感，如今已被冷冰冰的科技取代。年輕的一代，人情淺薄，而且自我隔絕，已成普遍現象。

這些現象，皆因人類文明遠離了大自然。自從資本主義興起，人的欲望無止境地擴張，為了權勢財富可以不擇手段。在科技上也一樣，只盲目於新科技的突破，根本不顧及為害世界的副作用。環境汙染、電磁波危害健康，人人皆知，卻無法根絕。甚至已有人開始懷疑，或許病毒疫情是大自然的反撲，但至今尚無人反應。

當文與質不能平衡，
就喝茶去。

易經賁卦，「文明以止」，當文明生病了，在文與質之間，須以大自然的平淡素色來平衡。這使我想起南懷瑾老師所說的，二十一世紀是中華文化的世紀。因為在這問題重重的時代，只有中華文化是定海神針的濟世良方。

中華文化，從遠古的天人思想，到延續了幾千年的心靈教養，鉅細靡遺地影響古來讀書人。王霸之爭自古業已開始。雖然孟子未能說服帝王，卻已成為古來君子與小人區分的分水嶺。到今天，日異星移進入二十一世紀，太陽系已由雙魚座時代轉而進入水瓶座時代了。霸道將逐漸式微，王道是形而上精神的融合。相信在新的時代，王道思想將有機會成為主流。

王道所強調修文德以來之的文德，是使遠人心悅誠服來歸的無形力量。唐朝西安氣度宏大，接納四方，成為文化都會典範。今日台灣如能以文化立國，或許也會是未來的新典範。台灣人內心深藏著中華文化的文化基因、夏商的天人思想、儒道的斯文情懷，都在台灣民間習俗憨厚性格上看得到。台灣是寶島，台灣的風景是人，所指的應是這內心裡的文化涵養。

目前，台灣仍以政治經濟為施政主力，這物質時代的思想將會在精神時代來臨時退場。台灣太小，政經都是台灣的下駟弱項，文化的深厚才是台灣的上駟。我們如能以文化的上駟來引領各國的下駟，使台灣成為文化大國，那麼台灣對世界的貢獻將會更大。

當然，我們不能沒有政經的治理。台灣既然開始以文化立國，那麼應該試以「非攻」為政治主張，以「兼愛」來做為經濟發展的推手。兼愛與非攻是王道精神的發揮，是大自然規律的呈現，相信這才是台灣走向文化大國，進而成為愛心大國的資糧。然後，台灣才能成為二十一世紀全世界的西安。

很感謝「九二共識」為台灣爭取了三十年的和平，使台灣度過了紛爭的物質時代，平順地進入精神時代。在精神時代融合的氣氛中展示文化的威力，所以名之為「九二共贏」，以示不忘本的文化精神。

美妙的樂音，來自「空」，智慧亦同。

意識的認知

不論宏觀大到無限大，或是歛觀小到無限小，無限大
與無限小，都近乎空的領域。空是意識的家。

我們的意識像大海，在日常生活中，行住坐臥如果只在大海的波浪上隨波逐流，心將安靜不下來。安靜是進入智慧的門，心不安靜將永遠與宇宙初始的大能接不上線，也與宇宙的智慧斷了連接。我們必須時刻保持心靈的安靜，智慧才會源源而出。這是智者與凡夫的差別所在。

心安靜了，意識才逐漸由波浪深入海內，深入愈深，雖然只是冥冥的一片，但心量已開始擴大。心量擴大了，人也變得溫和，遠離了波浪的衝擊，由安靜的心靈看世界，世界將更美。莊子在〈逍遙遊〉裡所講的鯤與鵬，也隱喻著這個道理。我們的意識是生命的覺照，那覺照無所不在，像鯤可以深入到海的最底層，鵬可以一飛沖天，沖到無何有之鄉。

意識的觀照可分三種：宏觀，斂觀與現觀。宏觀是大鵬鳥在天遨遊，斂觀是鯤魚深入潛意識的探訪，而現觀是當下的覺知。這三者隨時都在我們的生活中呈現。凡人不知如何管理，被動地被外界的物事牽著走，智者知道主動的管理，使意識的鯤與鵬由自己使喚。否則就安住在現觀的當下，以內在的覺知與世界相映照。

我們必須學習如何主動地管理自己的思想意識。我喜歡看書而不喜歡看電視。因為看書主權在我，任何時候可以停下來思考。而電視不行，你必須被動地跟著劇情走。自我不見了，這是一種盲失。宏觀與斂觀都必須是在自己自主下的一種心靈運作。例如：一上飛機，我先安靜自己，然後觀想我的心量隨著地心引力的減弱而開始擴大、擴大、再擴大，擴大到等同於虛空。（那時飛機在自己的心裡飛，你當然不會讓它掉下。一笑）。而且，當心量如虛空，會感覺自己的身體已不存在，那時，我體會了什麼是「空」。

又例如：有時我也觀想，自己愈來愈小，小到可以鑽進自己的毛細孔，在毛細孔裡與自己的細胞玩，那時，佛陀說，可以看到細胞與細胞之間，像兩個鏡子互相映照，窮窮無盡，那情景很不好思議。經典上說，這是「海印三昧」。雖然不好思議，卻是真實。

水影的我，也是我，
是為海印三昧。

我在體會垃圾三昧。

在宏觀與斂觀的遊戲中，體會到大而愈大，大到無限大時，已接近於「空」。小而愈小，小而再小時，也已接近「空」的領域。無限大與無限小都連接了「空」。我們由空而來，也將回到空裡去。而且在現在的現觀中，也只是以「空」為載體的一種夢幻。我們以夢幻為真實，這是人的顛倒夢想。

量子論已開始提出人是宇宙的中心。由古而今，人的思想意識在思維行動之後，其能量不會消滅，會被拋到宇宙什麼地方，與別人拋來的能量，逐漸聚集，居然就形成了山河大地以及這個世界。所以人的思想非常重要，如果人人都能保持良善的心，那麼，世界將會愈來愈美好。

人的思想意識由心靈所主控，大腦只是心靈的工具。大腦又分左腦右腦，左腦主邏輯，右腦主情感。邏輯與外界相接，右腦與心相呼應。兩者的平衡是智慧的開端。要生智慧必須先不執著，不執著於邏輯，不讓邏輯過分膨脹，邏輯才會是智慧的邏輯。不執於情感，情感才不會變成溺愛，而轉化為慈悲心。智慧與慈悲平衡發展，人在現觀中才能好好地安住在現觀的當下。

現觀是宏觀與斂觀的支點。當我們能主控宏觀與斂觀的觀照，現觀的當下才能在無限大與無限小的「空」中安然自處。生命由無始而來，往無終而去。在無始無終的正中間，正是我們「天上天下，唯我獨尊」的現觀立足點。佛陀看到了這一點，想告訴我們的也是這一件事。

在當下現觀的覺照中安頓自己，並不容易。首先要不起分別心。僧璨說：「至道無難，唯嫌揀擇。」揀擇要不起分別心，心一起分別，就非現觀。而且要不執著於任何事並不容易，因為不容易，自古至今才會有那麼多才智之士，以畢生精力參禪，想一睹生命的奧祕。

人間是夢幻，意識如鯤鵬，夢幻與鯤鵬都以「空」為載體，我們不識空，意識沒有根，我們了解了「空」，才知道意識思想的變化無常，原來來自空性，空是意識的家，如果想了解意識的究竟，回家就是了。

師父說，宇宙本心，就是我生命的本心。

回歸本心

―― 喜悅來自本心的回歸

我們所到之處，都只是過客。

我們是地球的過客

欲望使我們離不開地球，輪迴再輪迴無法解脫，
忘了我們只是地球的過客。

宇宙是活生生有靈性的大生命，那靈性是不是科學家取名為「上帝的粒子」的暗能量，未有定論。我們人類也是深具靈性的小生命，我們的覺知是與宇宙靈性相接的天線，在小生命與大生命之間互通，可以說小生命的靈性是大生命的分靈。

所以覺知非常重要，我們的生命一瞬也不能與覺知分離，用現代的話來說，覺知要時時在「ing」的當下，才不會與宇宙心靈斷線。如果有「ed」或未來式思想出現，就會變成妄念，阻隔了天線的暢通。<u>覺知與宇宙心靈通暢無阻，才是天人合一的開始。</u>

天人合一是古來思想的終極理念。拜現代科學之賜，我們才知道其背後真相。原來天地之間有個舒曼波，其波長剛好是地球的圓周，所以天地以相同頻率共振，當人的修為也達到相同頻率時，天地人就合而為一，這是佛陀悟道時的狀態，也是儒釋道各家想臻致的目標。

所以天人合一不是一個虛幻名詞。我們可以試試，坐下來，放鬆，看向無限遠的虛空。也深入無限深的內心深處。我們的覺知

會感覺到在這兩個無限的地方，似乎完全一樣。這時我們自己也已很接近天人合一了。我們可以學習在兩個無限之間悠遊，放大自己的胸懷與心量，在這天人合一的感覺，真的很棒。

而眼睛是這兩個無限出入的門戶。有人說「上帝」為了了解他所創造的世界有多美，同時也創造了人類的眼睛。我們只要把「上帝」的宗教觀念，轉移為廣泛存在的宇宙心靈，那麼這說法就很正確了。古人說「機在目」，一個人目光炯炯，他也一定精神奕奕。可見眼睛不只是靈魂之窗。南懷瑾老師教導我們，如何看山。我們要把山引進來看，不要用眼睛出去看。眼睛要像呼吸，吸進世界的好能量。放出不好能量。時刻如此，眼睛就會清明，精神就會飽滿。

不只眼睛要像呼吸，五官都應如此。讓自己的五官、五臟、甚至細胞都能自己呼吸。我們的肉身，幾乎都是空隙，讓體內空隙與體外空間自在交流，像呼吸那樣，不用刻意。久了，身體將會輕飄飄的，非常舒服。莊子說，呼吸及踵，他想說的就是這一件事。

真的？

人來自光音天，以光代音，是靈感一閃而來的起因。

不要忘記，五官之外尚有一個「意」，意識很不容易管理，意識產生的妄念容易使人執著，妄念與執著阻撓了天線，使人的心靈不能與宇宙心靈相接。與宇宙斷線是人要輪迴重新學習的主因。佛法又將妄念與執著的輕重程度，分成欲界、色界與無色界，各有其不同的障礙要淨化。淨化了一層一層障礙，才使人一層一層往更高的能量世界進化。

有趣的是，這三界的分別不只是人心靈淨化程度的區別，在宇宙中也各有其不同的星球，代表著不同的能量，讓人們在離開地球之後，轉生到適合他心靈能量的星球去。這是為什麼持誦「阿彌陀佛」佛號，就能往生西方極樂世界的原因。因為持誦佛號會與佛號較高頻率相共振，這是很科學的道理，不是宗教。

阿含經說，人類來自光音天，光音天是色界之第三禪天，光音天的人以光代音互通訊息。這似乎是特異功能第六感的源頭。我因此相信人的潛力無窮，那潛力是我們本來就有的能力。所以我們要記得我們只是地球的過客，我們是在地球學會了放縱欲望的小

孩。地球很美，物質與情的誘惑更美。<u>欲望使我們離不開地球，輪迴再輪迴無法解脫，忘了我們只是地球的過客。</u>

<u>解脫的方法在單純的覺知。覺知是回到宇宙心靈老家的唯一路徑。</u>但覺知很容易被分別心、妄念的意識所掩蓋。我們也不必害怕修行的功課有多複雜，只要一心保持覺知的單純方向就對了。這單純的覺知是「當下」、是「一行三昧」、是「大手印」和「大圓滿」的核心。由核心進去，條條大路通羅馬，宇宙心靈的老家就在那裡了。

宇宙啊宇宙！原來我們的心是一體的，我也完全放心了。內心充滿感恩與自信的喜悅。我們那麼小，我們也那麼大。不管如何，<u>我們一直都在宇宙的懷抱，與母親同在。</u>

我在禪中。　　　　　　　我也在禪中？

也來談談什麼是禪

禪是心在無我時的身影。

中華禪已深在我們的生活中。

近年來禪已普及於世，禪的美已成為美學，是摩登的新潮流。因為鈴木大拙的宣揚，禪被視為是日本的特有文化。殊不知，<u>禪是印度佛與中華文化在中土結合的混血兒，故稱之為中華禪。禪在中土萌芽，在日本開花，終也在中土結成果。</u>

禪不是一門學問，更不是理論，禪是生命真實的體驗。人的意識像大海，平常人只使用到意識的表層，在海浪上翻滾，不能解脫。只有少數才智之士，或許是承受了佛陀的影響，能安靜自己，不起雜念，使自性安住在純淨無染的心靈中，轉識成智。其過程是一種沉澱，沉澱再沉澱，終於深入大海的底層，消失於無形。這細微消失的過程，不知如何名狀，故稱之為禪，是為禪之體。

這意識在內心細微消失的現象，我們也常在外面世界看到，只是大家都不甚注意。當晨起微涼，靜靜的看著一滴露珠，在陽光下消失，只要夠專注，人的自我會跟著露珠的消失而消失。當自我消失，便覺清淨安詳。或聽鐘聲響起，然後遠去，消失於無形之中，只要專心地聽，就會明白觀音法門所說的「動靜二相，了然

不生」是真實的體驗。其實，<u>只要我們細心觀察，舉世之中，任</u><u>何物事，無一不在無常的變化中失去蹤影。</u>

宏觀的世界也一樣，山河大地與整個世界的能量也在消失中，這現象在科學上稱之為「熵」（音同「商」），甚至，宇宙的膨脹，時密度漸趨於零，然後消失。凡此種種，讓我們明白消失是住壞空中的必然現象，我們是宇宙的小分身，我們的生命同時也與宇宙中的所有物事，在同樣的韻律中共振而同步消失。<u>同步的</u><u>韻律很美，像回到宇宙懷裡，讓人覺得心安悠美。這美也是禪之</u><u>美。是為禪之相。</u>

禪之相很美，會提升人的靈知，古代日本為學習華夏中土的學問，派遣了十八次遣唐使來華學習，並也將禪帶回日本，深入民間，成為日本民族性格的特色，到戰國時期更趨成熟。當我去訪京都龍安寺，很驚訝地看到其枯山水已獨樹一幟，成為日式庭院的新風格。枯山水是在庭園中，以細沙刷成流水線條，與美石配合，使不是水的水，不是山的山，深入內心彼岸，成為彼岸又具體又抽象的風光。在此靜坐片刻，有如掉入了禪的家鄉。

京都南禪寺後方有一條哲學之道，是哲學家西田幾多郎每天在此漫步思考的地方，我也很喜歡來此走走，看那小溪流水，似是由我心中流出，然後潺潺而去。水聲細微入耳，又好像流回了我的內心。如此入神，在漫步中，自然靈思泉湧。而且，<u>當櫻花飄落，那隨水而去消失的花影，像露珠的消失，像鐘聲的遠去，自我在寧靜中逐漸溶解，禪的感覺便油然而生</u>，<u>我因此體會，原來禪是無我時的身影。</u>所以哲學之道，又可稱為禪的步道。

禪風吹入日本，在民間開花，和服、插花、茶道、庭院、房舍……無處不展現了禪的痕跡，可惜的是禪之相太美，使人只停留在美的表面，未能再深入禪之用。<u>禪之用是生命的大事，是如何了生死，如何體證自性的實相。如只在禪相的美上停留，實在可惜。</u>

禪相之美，只是生命的平面，禪之用，才是生命的全部。

以佛眼看花，花亦是佛。

中華禪在惠能之後，因神秀與惠能的影響，禪風所及，千年來開悟之士如群魚過江，不可勝數。禪在中土，樸素無華而敬天，天與禪一如，使中土的禪更見大氣，不同於日本的細膩，而使禪在中土結果，碩果遍野，蔚為中華禪的景光。

壇經是華人的金剛經，淺顯易懂，深入民間，已成百姓日用而不知的巷廟哲學，「本來無一物，何處惹塵埃」，是通俗語言，卻直指自性無我的本然狀態。一聽就恍然有悟，惠能又說，「皈依自性，即皈依真佛」，更把神格化的神，放歸自己內在的自性，自己的自性與佛無異，使中華禪成為生命的學問。不是宗教。

佛在我心，走路時是以佛的腳步走路，悠然自得。做事時，是以佛心做事，慈悲為懷。偶爾看天上星斗燦爛，便知那是我心靈的輝光在閃爍，看虛空無涯，那是我心無涯的延伸。當「無我」等同「大我」，自性的實相等同於佛。於是心靈豁然開朗，幾與開悟相似。這是禪之用。

如何使禪的體相用，在台灣同時發揮，使台灣在未來的新世界，成為世界性禪的中心，我很想建議，我們有中華文化底蘊的企業家們，以「清富」的觀念來推廣禪之用。清富思想是在繁忙的社會中，一方面腦筋要跟上時代，一方面心靈可貼近自然。使生活與生命一致，那麼自然而然禪的體相用，就會在各個不同的企業家身上，結成不同的果實了。

中華文化的精華在臺灣，如將台灣建設成禪的寶島，那麼台灣由文化的寶島，到愛心的寶島，進而成為禪的寶島時，台灣就可成為人類邁向理想國，真正的指標了。加油吧！台灣。

牛背上的牧童，心地單純，
這是台灣的景光。

要先能無我，才能遨遊天籟。

禪與莊子

心齋、坐忘、見獨……都是進入天籟的門。

富士山的美令人忘言，京都的枯山水不僅令人忘言，還會有一種寧靜的孤寂感油然而生。美，是由外在深入內在的中間橋梁。孤寂是比美感更深入內心的感覺。就像一朵花，花很美而根葉是孤寂的。孤寂襯托了花的美。禪也一樣，美與孤寂的感覺都同是禪的面貌。

禪的感覺如此奇妙。有人說禪是天的語言。天，虛無飄渺，默然無聲，無聲中卻常可體會到有個沒有音聲的音聲穿耳入腦，為人帶來了靈感，以及寧靜與喜悅。這默然的啟示，正是莊子所說的「天籟」。想捕捉天籟，必須孕育足夠寧靜的心靈。寧靜是天籟的門，多聽天籟，禪的感覺就愈親切入懷。

終極的寧靜像是數學上的零。零尚有正零 0^+ 與負零 0^- 的區分。0^+ 是門外林林總總的世界，0^- 是門內默然冥暗的一片。在 0^- 最深的底層，老子稱為「無」。無是對生命本體的認知，莊子很巧妙地以「忘」來穿梭於無與有之間。「相忘於江湖」、「坐忘」、「忘情」、「忘天下」、「忘物」……

我也想遊心於「物之初」呢！

莊子還藉老子來講述如何在 0$^+$ 與 0$^-$ 之間隨意進出的故事。有一天，孔子去見老子，老子剛沐浴好，正「形如槁木」（忘形），「狀如死灰」（忘情），呆呆片刻才回神過來。孔子問您怎麼了，<u>老子說「吾心遊於物之初」</u>。「物之初」是很迷人地方。悟道的人都常在 0$^+$ 與 0$^-$ 之間任意悠遊。這悠遊於物之初，莊子稱為「見獨」。

莊子藉真人女偶來談永生的方法，女偶不知多少歲了，而仍狀若孺子，女偶告訴南伯子葵，修道有七個次第，由外天下、外物、外生，到朝徹、見獨，然後才無古今，不生不死。外天下是忘了天下的存在，忘了物我，忘了人我，把自己安住在「吾喪我」內心獨有的狀態中。<u>這時在冥暗默然中會有一點心光升起，朝陽清澈明亮，然後進入見獨的境界。</u>見獨是在沒有對待的「物之初」中安然自在。因而入於無古今、不生不滅的永生境界。

禪入心靈有三個層次，美是第一層次，孤寂第二，見獨第三，莊子著重在見獨的境界，並以心齋來引導我們了解什麼是「見獨」。<u>心齋是心的齋戒。也可以說是莊子的「觀音法門」。</u>孔子

211

聽之以氣，是莊子的觀音法門。

告訴顏淵「無聽之以耳，而聽之以心」。因為耳朵只是機械性器官來反應外界音聲。「無聽之以心，而聽之以氣」。因為心容易被成見所左右，所以應聽之以氣。氣可以分成有形氣與無形氣。無形氣是來自「物之初」的氣，近似天籟的無影無蹤。如此由物之初的先天反應，不扭曲，不迎不拒，來聽取外界音聲，而這正是佛法未入中土時的觀音法門啊！

心齋可悟道，坐忘是修道，而見獨是見道。這三者皆是在「ing」的當下，而當下正是佛法的精要所在。莊子與佛陀幾乎同時介紹了當下的修法，我喜歡佛陀的莊嚴，也喜歡莊子悠遊人間的態度。人間似夢，莊子卻以更美的說法來談夢裡人生。「莊周夢蝶」，這夢與非夢，禪又非禪的意境，怎麼說都說不清楚。卻引人心動，而恍然大悟，快意非常。莊子是「中華禪」的源頭，後來印度「禪那」進到中土，只是扮演了催化的作用。

在宇宙中，不論古今，在每一個人的心中，都流淌著一股無形的智慧洪流，那洪流在老子、孔子、莊子或佛陀，以及我們每一個人的內心深處，無時不默默地影響我們的心思，而產生「吹萬不

同」的「地籟」，這吹萬不同的心智差別，使我們遠離了宇宙原始的「物之初」，我相信所有古聖先賢都是領悟了這智慧洪流的先驅，而莊子是其中很特殊的一位。

禪於漢末深入中土，與中華文化結合，經惠能一花開五葉，而形成了更有深度的中華禪。其實如果沒有莊子的奠基，中華禪也無法如此透澈，甚至影響了後來的日本民族文化。禪脫胎於印度，在中土成熟，形成了中華禪，再傳入日本，成為日本的禪風。

我們由富士山的美，到枯山水的孤寂，然後又在莊子的見獨中，看到人間的未來，雖然那未來如夢似幻，但「如夢」正是「莊周夢蝶」的美，「似幻」正是「蝶夢莊周」的真，真美皆俱，而夢幻難分。我們置身其中，豈非生命之大美哉！而這正是最美的「人籟」。

天籟、地籟、人籟，是莊子的禪，禪與莊子密不可分。所以建議企業界忙不過來的朋友們，也讀讀莊子吧！

師父說，當電話取代了耳朵，耳朵就退化了。

覺時代，
沒有聲音的鐘聲響了

沒有聲音的心念才能像撓場那樣傳播遙遠，
而使世界進化於無形。

台灣地處世界華人中心，文化素養也是華人的典範。在世界村到來的今天，台灣將要扮演極重要的角色。角色不是軍事的，不是政治的，而是文化的。一個村莊要安詳和樂，必須要有和諧相融的村民，和諧相融是身心教養的文化累積，不是短期的追趕可以幸至。幾百年來的風雲際會，使台灣成為中華文化的中心。儒道文化在民間生根，溫文儒雅，忠厚老實的性格，似可推及於世。世界村東西雙方文化的融合，勢必以台灣為借鑑。

當西方開始體會東方文化的不同，便有強大的吸引力產生，氫融合的力量是平和的，鈾分裂的力量是破壞的。大自然如此，人性也如此。當今美中的對立，不論輸贏如何！都不是世界村的方向。有史以來，王霸之間，出頭的總是強權霸道。因為兩千多年來的雙魚座時代，是邏輯的時代，邏輯的對立，是霸道橫行的主因。二十一世紀的今天，水瓶座時代來了，這是高次元的非邏輯時代，物性的對立，將被能量的融合所取代。

人類的腦筋，分成左右兩邊，左腦司邏輯思維，右腦主非邏輯的情誼，語言文字是邏輯的，所以人類的文明也是邏輯的累積。因此當今人類有88％的人，左腦比右腦大，這是畸形的發展，使人類逐漸與大自然脫軌。尤其，因水瓶座時代，能量次元的提升，只有幾年功夫，高科技突飛猛進，5G、6G一直往更高的次元開發，不僅人們無所適從，甚至老少代溝加劇。農業時代所培養的美德，淪亡喪盡。我們不知未來的人類怎麼辦？

科技與人文都是四次元以上的高能量，如果科技獨走，人文的基因萎縮，光是左腦的人類，將不再是人類了，而是類機器人的人類，這是很嚴重的現象。這是今日，我們必須面對的大問題。人的生命有感覺與知覺，幾千年來所有賢聖，都一直在探索，那感覺與知覺的背後，能知覺、能感覺的那個講不清楚的「東西」是什麼？有人將之稱為本來面目，或虛空粉碎的大徹大悟，或禪或道，來一筆帶過，如此深不可測的語言，更令人茫然不能了解。

念頭如撓場，可以穿越任何障礙。

其實，現今科學已逐漸進入這神祕的領域，量子論似已開始揭開生命的奧祕。科學家說，在大霹靂之後，世界形成顯形（陽）與隱形（陰）的兩個世界。其交界是個具有真空性質的能量點。能量點內只有旋轉的能量，沒有物質。故稱為真空。而真空中的能量會因頻率的降低，而成為有形的物質，真空與妙有其實是同為能量的變化，故云，色即是空，空即是色。

能量旋轉時會有角動產生撓場（torsion field）現象，愛因斯坦忽略了時空的扭曲，而喪失了發現撓場這第五力的機會。相對論只論及引力、電磁、強力、弱力四力，因缺少第五力撓場的結合，不能成為統一場論，真的非常可惜。撓場是粒子旋轉時的角動量，或自旋能。它可穿越任何障礙，在宇宙中不論多遠都瞬間即至。速度是光速的千百倍。所以，<u>有人說撓場是念頭、思想、或意識的來源。而且其性質又極像阿賴耶識。可以記憶有史以來所發生的大小情事。而將宇宙統合為一體，成為全息宇宙。</u>

我們的生命，是大宇宙中的小宇宙，
「覺」是大小之間的天線。

人的生命或意識都是撓場的一部分。<u>人的感覺與知覺更是撓場現象之一，所以那不好了解很神妙的本來面目，其真相也將呼之欲出。</u>我們試將那能感覺、能知覺的生命現象，以「覺」來代表。覺就是撓場，也可視之為生命與宇宙聯通的天線，天線傳遞的資訊也就是宇宙的資訊。所以，<u>生命是大宇宙中的小宇宙，大小之間靠著「覺」來連通。</u>覺知被妄念或人我的思想掩蓋，覺就失去功能，而與宇宙斷了線。

所以，我們說「覺」的時代到了，科學讓我們了解了，生命也是一種可以客觀描述的宇宙現象。佛陀說，有一天，人類將進步到，大徹大悟的人將整批整批地出現，我們相信其原因在此。2019年，洪啟嵩老師發表了他花十幾年時間才畫成的大佛像，或許，其目的也是在為這成群結隊開悟的時代做準備吧！

「覺時代」到了，大佛由台灣出發，這「覺」的推廣也將從台灣起步。「覺」是中華文化王道思維的領頭羊，先喚起華人覺醒，

再推而及於西方，當人人自覺，人人覺他。當「覺」成為普遍現象，人的左右腦將可平衡回來。平衡是宇宙的準則，陰陽平衡太極生，太極平衡，世界才會平衡。用金剛經的語言模式來說，是：「平衡，非平衡，是為平衡」。非平衡是指打破現狀的平衡，趨向更高次元的平衡，在這新時代平衡的進化階梯上，所有的思維都必須有新次元的考量才行。

這迎向高次元進化的階梯，並不容易，工作也很複雜，最好從像台灣這樣小小的，而且還擁有東方文化精華的地方做起，示範給世人，發揮潛移默化的影響力。「覺」時代沒有聲音的鐘聲響起了，沒有聲音才能像撓場那樣，傳播遙遠，而使世界各地進化於無形。相信這才是台灣的使命。

山川秀美，不置一言。
原來這美，是不言的語言。

現代心學 —— 王陽明

只要心地光明，照古照今，所照之處，即是良知。

大慧宗杲禪師說，靜處悟禪容易，動處悟禪難。人的心識思想常在動靜之間擺盪。動靜之間存在著不同智慧。宋朝理學與陽明心學是個明顯對比。朱熹的理學在武夷山的山明水秀中養成，王陽明的心學卻成熟於顛沛艱苦的生涯中。其中道理頗值玩味。

朱熹與王陽明皆致力於格致的參悟，對所格方式不同，結果就有極大分殊。朱熹的格物是以客觀世界的理，去對治主觀人心的欲。因此須求理於世間事物。王陽明持相反看法，認為心即理。只要堅守乾淨的心（良知），做乾淨的事（致良知），自然心與理合，故說，「向之求理於事物者，誤也」。理學由物指向心，心學由心指向物，兩者之別，正如大樹，心學是樹之根，理學是枝葉，這是陽明心學凌駕理學，逐漸大放光彩原因。

五百年來，陽明心學不僅造就了曾國藩、梁啟超、蔣介石、毛澤東等明清後的人物，也遠及日本引發了新思潮，使明治維新成功，成為現代化大國。當時，打敗蘇俄艦隊的東鄉平八郎，是陽

明心學信徒，他隨身攜帶「一生伏首拜陽明」字牌。難怪他能沉著穩定，臨危不亂。這功夫是陽明心學的寫照。

臨危不亂來自心胸涵養的深厚，陽明心學由心即理，理與宇宙萬物為一體，因而心胸廣大，同理心鋪天蓋地，使自己遠離私欲支節纏繞。這在佛法叫覺性，在禪宗叫無心，在道家為心齋，在壇經是無念，陽明心學將之融合成一體，以簡單明白方式成一系統，使學者容易入門。王陽明的一生，由立志、立誠、格物、致良知、知行合一，而終於在晚年提出四句教，前後幾十年，剛好見證了王陽明一生艱苦行徑的心路歷程。

良知良能是孟子提出的，此後千多年少有人發揮，直到王陽明再以這人性本初，最原始無染的心叫良知，來與天理相通為一體。它是每一個人心中永不滅的光明，只要循著光明無染的良知走，人人皆可為聖賢，這叫致良知。如此由良知到致良知，一氣呵成，涵括了格致誠正的內聖功夫，所以這是一套實踐功夫，簡單明白，不是理論，更非宗教。後來在陽明學院提出知行合一，陽明心學便大致完備。知行合一有一個重點，王陽明認為一念始

此心光明，照古照今，能照之覺性，即是良知。

動，便已是行了。一念始動，良知便已知善或不善，善馬上行，不善馬上克制，是為知行合一。它與佛法的「參話頭」，儒家的「慎獨」，頗為相似，如說吸收了佛道以融入於儒，使心學更為豐富，似也成理。

有一次，弟子陳九川生病，王陽明告訴他，心不病，身就不病。並言及「凝思靜慮，擬形於心」可以扭轉命運。意即正面觀想，可以使觀想成真。我相信，王陽明業已領會了心靈能量的真相。今日世界疫情遍及各地，如以心學觀念來看，時時保持心靈的淨潔不染，在良知中不與病毒敵對，不生恐懼，浩然之氣升起病毒就不會危害。

致良知建立在心即理、心外無物的基礎上。王陽明說過一句很美的話，「爾未看此花時，此花與爾心同歸於寂。爾來看此花時，則此花顏色，一時明白起來，便知此花不在爾之心外。」這在現代波粒二相性來說，已被接受，但在五百年前，當也不易，陽明心論是經得起科學考驗的。

223

王陽明二十歲以前嬉笑率真，祖父王倫去世，忽然知錯而正襟危坐，連寫字也一絲不苟。他說：「寫字是寫心」，「吾作字甚敬」。而且讀書也一樣，他以朱熹的「居敬持志，為讀書之本，循序致精，為讀書之法」，終身嚴謹奉行，令人敬服。

二十一世紀科學突飛猛進，手機電腦方便了生活，卻退化了腦筋，尤其年輕一代字都寫不好，文章也寫不來。而且世界局勢雜亂，東西對立嚴竣，在這艱困時候，如果陽明心學能成為世界心學，正如大慧宗杲所言，在艱困中須有動處悟禪心學，那麼陽明心學將是未來濟世首選。

王陽明在臨終時，弟子問有什麼話要轉達於世嗎？王陽明只說了一句：「此心光明，夫復何言！」原來只要心地光明，照古照今，所照之處，即是良知。良知永世長存，二十一世紀也應是致良知的世紀吧！

內心清明如水，就能「遊心於淡」。

古今華胥國

母愛的包容胸懷若能普及於世，
世界村的理想未來才能展開。

琴音中，有天籟、地籟、人籟的品味。

傳說伏羲母親是華胥國人，那是個母系社會的世外桃源，人民純樸，生活簡單，從無爭端。我不知道傳說是否真實。如果真實，與現代人相比，不得不令人深思，幾千年文明，人類真的進步了嗎？

幾年前去貴州看了一場儺戲，舞者戴著面具表演。沒有語言，舞步很像日本能劇。喔！不對，應是日本能劇與儺戲很類似。「儺」，音ㄋㄨㄛˊ，與「能」的日本發音一樣，其中必有關連。儺戲很像華胥國傳說，對先祖一代一代傳下來的美麗世界充滿憧憬。而且用身體講故事，似比語言歌唱更能入心。

聽說原始人類，以心念互相溝通，後來才出現語言，文字是更後期的發明。夏朝時，人尚可與天通，少有考古資料存留。商時，可通天者漸少，只剩在帝王身邊的巫官占卜斷吉凶，甲骨文是其佐證。到了周朝，遂以周易來補天人不通的缺憾。人類一步一步遠離自然，母系時代的安詳生活，漸成絕響。

在青海西寧西南，有個地方叫貴德。在貴德之前，黃河水是清的，過了貴德才漸濁黃，故有「天下黃河貴德清」之美譽。古代貴德也是母系社會。丹霞山色與黃河清流相輝映，是另一個美不勝收的華胥國，後來成為父系社會，戰爭頻仍，生活不再安詳了。

人之天性，女性多包容，男性愛爭逐。由此看來，近來女性領導漸多，似是個好現象。尤其在2024之後，時序進入第九運的「離」卦。離是中女，女性主政時代或將到來。這會不會是華胥國時代的再現？很值得期待。**母愛的包容胸懷若能普及於世，世界村的理想未來才能展開。**

包容心的普及，最好由企業家來推廣，**包容心是廣大心量的心，這正是企業家經營企業的必要條件。企業家心量有多大，企業規模就會有多大。**這是個鐵律。榮格說，在潛意識的底層，尚有一層人人內心相通的集體無意識。當集體無意識被私心掩蓋，心量就變小，包容心也變小了。當一個企業家，把企業當家庭，把同事當家人，把產品當理念來延伸，這樣的企業，不成功是不可能的。

寄出去的，都是愛心。

包容心也就是愛心。證嚴法師心量遍及世界，慈濟的愛心救濟就
遍布世界。企業家當以證嚴法師為榜樣，投入公益，那麼企業形
象及企業，將會有大不同表現。當今之世，大家都對政治經濟不
抱任何希望。政治太多機心，經濟太多野心，未來東西方的融
合，政經都使不上力。唯有以像證嚴法師那樣的母愛包容力，來
融合東西的對立，或許這是一條不敢幻想的理想道路。

東西文化各異，性格也不同，王霸思維的選擇，現在正是關鍵時
候，二十一世紀已是形而上能量時代，霸道思維已隨二十世紀形
而下物質時代，逐漸遠去。今天的科學突飛猛進，這是形而上時
代的特徵，但我們也不可忽略同為形而上的文化。<u>文化與科技必
須平衡發展。甚至像易經所說，陰中有陽，陽中有陰。科技應由
文化帶路，文化應有科技為後盾。</u>

多年前，我一直提倡「清富」觀念原因在此。企業家腦筋要跟上
時代，心靈要保持貼近自然。心腦分工，而心腦仍是一體。這是

一種立體思維，與平常的平面思維不一樣，舉個例，棒球只打九局才會精彩，而球員要有打一百局的胸懷，才能冷靜應對。清富的觀念也一樣，心腦分工而不分離。金剛經的「世界」，非世界，是為世界，也是一種立體思維的智慧。立體思維可以使企業家心胸沉著穩定。

清富觀念如能在企業界展開，愛心的包容如能廣行於世，則世界村的美好未來或可期待。清富的「清」，是以平靜的心靈，靜靜地往外看，至於靜靜地看著什麼，並不重要。重要的是內心的寧靜與安詳，這寧靜安詳的心境，古今皆同。因此，我們可以認定，古代華胥國，已在我們的內心裡重現。或許貴州的儺戲，以沒有語言的語言，想表達的就是這一個美麗的願景吧！

凡事包容，廣行於世。

天道與人道，生生不息，循環不止。

易經與天道

易經由天道而人道，可以使簡單複雜化，複雜簡單化。
向外延伸，可以知人事，向內歸元，可以寧靜如一。

不知道什麼原因，年紀愈大愈喜歡讀易經，讀易經常會忘我，想一直看下去。那吸引力，正如年輕時，喜歡看天。天是虛的，虛中似有無窮智慧可以感通。喜歡看大地山川也一樣，山川不語，不語中卻有滿滿可以洗滌心胸的活泉。由少年到老，那探索未知的喜好未曾改變，到今天愈來愈了解易經，才知道，這是天道與人道契合時的現象，契合時的喜悅是天道的恩賜。

看不見的天道，含括了自然規律、人間倫常，以及不容易了解的變中有不變、不變中有變、或大中有小、小中有大的奇妙現象。天道是高次元的，以我們平面思維的習性，當然無法體會天道的幽微。雖然如此，易經似是天道下凡，來引領我們進入天道的領域。使人樂此不疲，成為古來智者的最愛。

舉例來說，從咸恆兩卦就可體會到，易經是天道下凡的明證。咸是感通，感通因時而變，但它卻是由恆久不變的澤與山兩卦所組成。相反的，恆是恆長久遠，卻是由瞬息萬變的雷與風兩卦所組成。而且，如將咸恆與澤山雷風，再推演排列，則宇宙萬象，人

間百態盡可玩之掌中，絲毫不遺。所以我相信，易經不是人間學問，它一定與天上智慧有關。

當年，伏羲觀天觀地，似也想窮究天道的微妙。他似不只觀察，他還想知道宇宙的背後是什麼，以及在宇宙的最初，其最小的組成單元是什麼？我們不知其過程，只知他終於提出了「陰陽」的觀念。有人說其觀念，來自男女差異。但，這只是猜測，無法證實。不管如何，以當時的條件來說，這種創見簡直是神通。

或許是來自結繩記事的經驗，伏羲以一畫為陽，將一畫切成兩段為陰。於是陰陽生焉。而且陽中有陰，陰中有陽，清清楚楚。於是一生二，二生三，八卦就出現了。八卦象徵著大自然的八個象，有了八卦，大自然的景象就可收納於心，再以數理排列組合，遂成可以運算於心的精密系統。當人事複雜化之後，又可延伸為六十四卦。故知由陰陽而八卦是天道，六十四卦是人道。易經如此周詳精密，我因此相信易經一定不是人間學問。所以，讀易經一定要謙恭虛心，如敬神明，方能感通。

天道是心之體，仁是心之相，易是心之用。

天道簡單，人道複雜。易經由天道而人道，可以使簡單複雜化，複雜簡單化。向外延伸，可以知人事，向內歸元，可以寧靜如一。一是宇宙的最初，是伏羲的陰陽。孔子將陰陽取名為「太極」。太者，大加一點，表示大而無外、小而無內的宇宙狀態。這神來之筆，使孔子與文王，及伏羲齊名，是爍耀古今的聖賢。

孔子創造了「太極」名稱，又提出「仁」來與太極對應。太極是天道，仁是人道，由天道而人道，使人道不離天道。仁為儒家思想的核心，由仁而一以貫之，遂成儒學的心學系統，影響整個中華文化，成為中華民族的文化主流。我們可以說，天道是儒學的體，仁是儒學的相，而易經是儒學的用。

孔子從易經「中孚」卦的觀念，以中來貫穿這體相用。中不離人，不離天，故行中道，君子可以有君子的正氣，正氣通於天，是為浩然之氣。浩然之氣由個人而家國天下，儒學的八綱一氣呵成。舉世之中，獨我中華有此思想系統。中華之中，並非世界中心的中，而是中道的中。在這世界村來到的今天，相信只有中華文化的中道，可以融合東西文化差異，和平地邁向地球村。

近來，量子學家提出了撓場觀念，說撓場即是阿賴耶識，撓場波是人類思想念頭、精神意識的來源，而撓場的自旋波有左旋右旋的分野，這不正是陰陽的太極嗎？最新科學的發現竟然與伏羲的推想完全一致。不得不一次又一次讓我們對伏羲充滿敬意。伏羲應該是古代文明的智者，或是天外更高文明的使者，來為人類開啟文明的先知吧！

<u>嬰兒是人的天道，懂事後是人道，老來遂有一種渴望想回歸天道</u>，這是會喜歡讀易經的原因。值是之故，我們如愈早進入易經的智慧，天人為一的心識將愈早開啟。朋友啊！趕快把易經列為每天的功課吧！

由人道而天道，是人進化的階梯。

我是宇宙的小孩，我將與宇宙等高。

我們是宇宙的小孩

要樂觀進取，要快樂，要慈悲，要有愛心，
使自己體內的細胞也充滿同樣的正能量。

當細沙組成了大地，細沙只是細沙，細沙之外一定還有什麼我們不知道的因素，才使大地那麼美。同樣的，當細胞組合而成為人，細胞之外一定還有什麼因素，使生命如此玄妙而美麗。這疑惑困擾了人類千萬年。困惑之餘，神或上帝的觀念遂應景而生。當尼采以理性推論，宣告上帝的死亡，沒有人相信。今天，科學臻致更微細的領域，才使我們有更深的了解。

科學有宏觀與微觀兩個方向，宏觀向外研究宇宙，微觀向內探究生命大海的真相。在二十一世紀的今天，兩者竟已在我們的心靈裡相會。我們心裡的意識，有宏觀也有微觀，可以神遊宇宙，也可以如老子所說「遊於物之初」。物之初是宇宙初始時的混沌狀態，人的意識可大可小，而且大而無外，小而無內，跟宇宙一樣。

宇宙在大霹靂之後，初始能量在混沌中互相碰撞，經三十八萬年的碰撞才出現原子來。原子是物質最小單元，物質能反射光線，從此宇宙遂大放光明，稱之為「宇宙放晴」。在放晴之前，已有未成為物質的微粒子出現，稱為「暗物質」，在暗物質之前的純

宇宙不病，我也不病。

淨能量，稱為「暗能量」。NASA 說，宇宙中，物質只有4％，暗物質有23％，暗能量占了73％。

易經的太極，是暗能量，太極生兩儀的陰陽，陰是暗物質，陽是物質，而暗能量是比陰陽更高的能量次元，它默默地在背後影響陰陽，這暗能量我們稱之為「靈」，所以宇宙有身心靈，人也有身心靈，人與宇宙的身心靈，其實都是一體的。我們說宇宙是一個大生命，人是小生命。甚至我們可以說，人是宇宙的小孩。

科學有很多發現，可以用來佐證，例如：大腦有一千億神經元，有一百萬億連接點，與宇宙非常相似。現在天文學家與腦科學家，已一起研究這是怎麼一回事。而且，感謝電子顯微鏡的發明，使我們可以更深入到微細世界的探索。本來我們只知道細胞的粒線體產生能量，供細胞運作。但其能量從何而來，不知道。在電子顯微鏡下，科學家發現在分子細胞上，覆蓋著一層如霧的量子細胞，分子細胞的能量，由量子細胞的微能量而來。但微能量又從何而來呢！很令人驚訝的是，它來自我們心靈裡的意識能量。

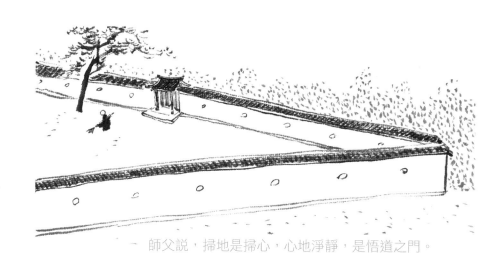

師父説，掃地是掃心，心地淨靜，是悟道之門。

這是心物一元與萬物唯心造的關鍵。形而下的物質與形而上的精神在這關鍵中相接。而且量子細胞不只在細胞上存在，在基因與脊椎中脈也有同樣現象。科學家發現基因的雙股鏈之外，尚有十股看不見的雙鏈基因隱在後面，中脈不只看得見的脊柱中脈，尚有看不見的微中脈隱在後面。人是心靈與身體的結合體，是心物一元的佐證，生命活生生地充滿生機，就像小孩，我們可以說我們是宇宙的小孩。

思而至此，不得不佩服古來儒家思想中的八綱。八綱中，格物是靈的淨潔，正心是心的正道，之後則是行為跟隨著心靈指向的綱常。靈要淨潔，必須修心，使不起分別念，隔除了妄念的紛擾，心地才能清楚明白，這功夫就是王陽明的致良知，而淨潔的靈就是良知。照著這套心學而行，自然而然，心靈的力量就會使身體的功能端正，王陽明又說，「心正則不病」。是此道理。

我們是宇宙的小孩，宇宙不生病，當然我們也不生病才對，人會生病一定是有負能量的介入。所以要樂觀進取，要快樂，要慈悲，要有愛心，使自己體內的細胞也充滿同樣的正能量。不要擔心任何事吧！朋友。擔心、恐懼、貪婪與仇恨，只給身體增加更多的負能量。當我們散發著正能量，正能量散布在宇宙中，將使宇宙變得更美好，那更美好是山川美麗、世界和諧的原因，也是細沙能成為美麗山川的最重要因素。

靜下來，才能聽到樹在跟你說些什麼。

回到宇宙寧靜的老家

寧靜是宇宙的心聲，在寧靜中，
內在與外在的界線會消失，
於是宇宙與我為一。

我退休之後，常在大自然悠遊，那悠遊很像喝咖啡時的輕鬆自在。六〇年代，我去日本實習時，咖啡才引進日本。因應新潮，喝咖啡遂成我的嗜好。我不會日語，沒有日本朋友。咖啡只能獨自品味。咖啡有個特性，善解人意。只要默默與之對話，就會忠實地把心意融入血液，成為靈思的泉源。現在，將這體會用到大自然的悠遊，也非常貼切，而且令人著迷。

與咖啡對話是沉思的美，與大自然對話是寧靜的美。沉思的美有焦點，大自然的美沒有焦點。不論有沒有焦點，都會帶來相同的寧靜。寧靜雖同，寧靜的次元或深度卻有區別。所以，不要只談林木山川有多美，流水雲煙有多自在，而要往寧靜的更深處，去探索。

人的內在，是很深很深的覺知。覺知是清清楚楚，明明白白的體會，那體會無法形容，能形容的只是語言文字，不是生命。像手指明月，語言文字是手指，明月仍在另一次元的天邊。佛法每每強調，不要有妄念，妄念是烏雲，會遮蓋晴空，使看不到月亮。這是喝咖啡、或與大自然對話、或在生活中做任何事時，都不可或忘的功課。

當內心沒有烏雲，心靈晴空萬里，在寧靜中，內在與外在的界線會消失。跟喝咖啡一樣，界線消失時，心聲便可直達天聽。甚至，如經上所說，「靜極光通達」，心中靈光一現，或許就是宇宙捎來的智慧訊息。所以，靈感及創意是宇宙的恩賜，不是人的天賦。

由宇宙來的訊息，就是「天籟」。為聆聽天籟，要懂「心齋」。當心有妄念，禪師一喝，烏雲就消散，這都是古來先賢入靜的功夫。我去過石家莊臨濟院，那一喝的威力仍在空中裊繞。維摩詰的一默如雷，是寧靜中的天威。禪師緊要關頭的一喝，貴在於時機的拿捏。但我們必須了解，如果沒有一默的寧靜，那一喝也將不甚了了。這是靜禪與動禪的巧妙配合正如母雞與蛋裡小雞的「啐啄同時」。

寧靜是我心靈的家。

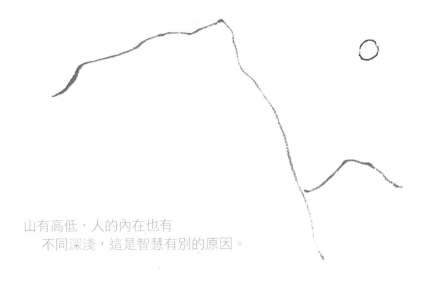

山有高低，人的內在也有
不同深淺，這是智慧有別的原因。

寧靜的奇妙，在於寧靜有不同的能量次元或深度。不同的人，其寧靜深度也不同。我不知道愛因斯坦的寧靜有多深，也不知道樹的寧靜與花草的寧靜有何不同。在大自然中悠遊久了，才知道寧靜的學問，原來這麼深，這麼有趣。

寧靜一如意識的大海，從表面意識的寧靜，到潛意識的寧靜，潛意識又有淺深之分，然後才是無意識寧靜的海底。其中，在意識的深淺中，寧靜的深淺也不同，我們還可推而及於，在寧靜的背後，與宇宙相接的點上，是不是就是天堂或極樂世界的方所。因為熟悉寧靜的人都知道，<u>在寧靜中，心靈的安詳喜悅，與天堂或極樂世界，並沒什麼兩樣。</u>

現在，我在大樹下看樹，在寧靜的擴展中，樹與我的界限，逐漸消失。我看到由根土上來的樹汁，慢慢滲入樹的毛孔，毫無聲息，卻為毛孔帶來了歡愉。這是生命力的毅力在移動，因為地心引力的拉扯非同小可。我問了樹，那生命力是怎麼來的？而樹的回答，只是寧靜。

243

這樹已在此站了千年，千年不累。是因為寧靜呢？還是那非常緩慢的呼吸？我不知道，這樹是一年一呼吸，或是多久一呼吸？而絕不是像我們那樣一分鐘幾呼吸。正疑惑間，忽聞似有樹汁的音聲娓娓細語，向根土說：媽，放心，我會回來的，我愛你。然後力爭上游而去。

我將微溼的眼光，移向旁邊冷冷的石頭，居然發現石頭並不冷，微溫的感覺像是生命的溫度。石頭也是有生命的，萬物都有生命，只是覺性呈現的方式不同而已。覺性是宇宙大生命的載體，用科學的語言來說是撓場，用佛法的語言來說，是阿賴耶識。覺性充滿宇宙，使宇宙處處充滿生機。使寧靜成為萬物共通的語言。

在寧靜中，母親靜靜地看著嬰兒微笑，嬰兒領會了母親的心意。在寧靜中，大樹靜靜地看著日月，日月不留痕跡。在寧靜中，花草靜靜地零落，那零落竟成為詩人的靈思。寧靜是宇宙的心聲，宇宙以寧靜向我們招手。來吧！朋友，不論何時，都與寧靜同在，那是你真正心靈的家。

既然酒神精神那麼好，
為什麼不許我喝酒？

喝葡萄酒的沉思

一杯下肚，人就放開，開朗無私，異於平常，
這正是酒神精神

大家都喜歡喝葡萄酒，葡萄酒很容易引人沉思。今天沒事，也想借酒裝傻，談一些沉思的酒話。聽說酒神戴歐尼修斯為人類帶來葡萄酒，馬上成為人類的最愛。尼采說：「葡萄酒是從葡萄逃逸出來的精靈」，這話果然高明。因為精靈催生了古希臘悲劇英雄的神話，精靈總是在悲劇英雄苦難的關鍵時刻發揮作用，使正義與毅力成為古希臘神話的主要精神。

古希臘神話，由酒神與阿波羅兩種精神結合而成。前者使人崇尚正義而發揮出心靈力量。後者因毅力的理性化，使生命有了方向。所以哲學家說，古希臘悲劇不在於悲，而在於背後肅穆的心情。

古希臘城邦時代，人們把粗俗工作交給奴隸，自己從事於音樂舞蹈藝術等文化嗜好。在此氛圍下，民主自由遂成為普遍的城邦精神。在雅典的伯里克里斯時代，政府還發津貼給看劇的市民。每年舉辦戲劇比賽，建大劇場。在酒神的祭典上，大家一同歡樂共舞，凝聚市民的歸屬感。萬一有事，像英雄一樣，毫不畏懼，一致對外。這是一個以藝術文化領導政治的美好時代。

師父，喝心靈的酒可以嗎？

這美好時代源自酒神精神，酒神為古希臘城邦帶來歡樂。然後影響及於羅馬，甚至今日西方文明。酒神戴歐尼修斯出生時，母親被父親宙斯的天雷神威嚇死。母親死了，宙斯的妻子赫拉仍不放過酒神這小嬰兒。逼他瘋癲流浪。流浪中，釀製了葡萄酒。他將酒先獻給奧林巴斯諸神，然後才與人共享。這共享的精神，後來遂成為喝酒人的共同習慣。君不見，一杯下肚，人就放開，開朗無私，異於平常，這正是酒神精神啊！

酒神精神與阿波羅精神，使古希臘時代在周邊野蠻世界中脫穎而出，成為照耀於世的文明燈塔。燈塔微弱的光，在黑暗中靜靜地站著，卻能引導迷航的人回家，這正是溫克爾曼形容古希臘文明時說的，「高貴單純，靜穆偉大」，這寧靜後的省思，是古希臘人性的光芒。

這人性的光芒，到蘇格拉底就被打破了。蘇格拉底以理性取代藝術文化。再加上蘇格拉底的口才、柏拉圖的文才以及亞里斯多德

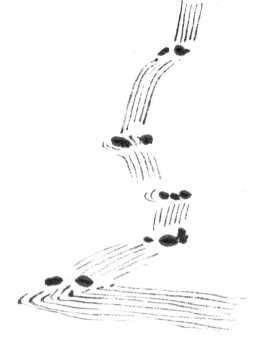

自我超越，才是永恆回歸的進化。

的全才，遂使理性主義橫掃西方。把古希臘的藝術文化導向以政治、經濟、市場、軍力為主流的西方文明。我真的不懂，到底蘇格拉底帶給我們的是文明的繁榮，或世紀的迷航。

於是尼采出現了，他大聲疾呼，以超人的姿態，宣告上帝死亡。他把上帝拉下神壇，轉而於內心中喚起內在自我的超越。他認為只有自我超越，才能挽回理性的迷航。他提出「永恆回歸」的超人觀念。生命是永恆的，在生命連綿不絕的道上，這一世的習性，會在下一世，以及生生世世重複出現。所以超人只能選擇自己願意讓它重複出現的事做。用現代話來說，是在未來平行宇宙中，只選擇對人類有益，乃至能促使更好宇宙出現的事來做。

尼采要把古希臘精神現代化，成為「德國精神」。他將康德與叔本華對智識局限的灰心，以古希臘精神來平衡。並把從巴哈、到

248

貝多芬、到華格納，串成一條音樂精神的線，使哲學與音樂結合
而成「德國精神」，來挽回文明的迷航。我不知道，到今天德國
精神有何進展，但現代人如何接這尼采的棒呢？

蘇格拉底的理性主義，發展成今天的民主體制。優點是社會進步
了，缺點是文明帶領人性走向物質化。要知道，今日的民主，已
大異古希臘民主。前者是表面選票的平等，是假平等。後者是人
權的平等，是真平等。同時代，在東方孟子所提倡的「以民為
本」，似乎比較接近古希臘民主。

我每晚喝一小杯葡萄酒，在細品中，我細尋思，什麼是酒神帶來
的悲情下的寧靜，什麼是困苦中高貴的單純？答案當然只在寧靜
中沉澱。但心靈似已有所救贖。或許這是酒裡精靈的催化，或
許，靈感是因這催化而來的。請注意，千萬別貪心大口喝，喝多
就中酒神的詭計了。我這喝法太好，不敢藏私。姑且戲稱為「喝
心靈的酒」。希望與你共享。

什麼是生命的終極真理？

生命的終極真理

人的生命與宇宙的大生命是一體的，
所以人的小生命進化，也將有助於大生命的進化。

話說在宇宙大霹靂之後，世界是一片混沌，混沌中只有初始能量的震動與碰撞。經過了三十八萬年，才由最小的光子、電子、夸克碰撞出原子來，原子是物質最小單位，可以反射光線，從此宇宙大放光明，俗稱宇宙放晴。放晴的世界是「明世界」。仍在混沌中的世界是「暗世界」。明暗兩界合在一起，才是「全宇宙」。

明世界是我們存在的世界，暗世界是五次元以上高能量世界。科學家認為明世界是暗世界的能量投射，就像螢幕上電影，是虛幻不實的。暗世界深藏著宇宙有史以來所有記錄，像資料庫。其中資訊是我們所說的業力，業力也是能量，能量不滅，所以業力無可逃避。

人的意識是物質化了的能量，可以在明暗兩界穿越。意識能量有粗有細，由表意識、潛意識、到無意識，是宇宙意識的分身。榮格把無意識稱為集體無意識。表示所有人的意識在此已不分你我，就像眾山各有高低，終歸同一根源的大地，而這已是暗世界的範疇。

意識跟電子一樣，具有微細粒子「波粒二相性」的現象。平常電子以波動方式存在，<u>當人的意識參與進來觀察，馬上在顯微鏡呈現粒子的狀態。</u>在量子的微觀世界中，意識扮演了非常關鍵的角色。因此，我們可以想想，當我離開了辦公室，辦公室還在嗎？很難說，因為無法證實。

當我不在，我意識裡的明世界也就不在。明世界回到本來暗世界的能量波動狀態。暗世界是從第五次元到十幾次元的高能量世界。有人說，第五次元是慈悲與愛心的世界。所以，所有宗教都以愛來勸人向上，並許給人們一個美麗的天堂。原來天堂就是這更高次元的國度。在第六次元以上，哲學家說，那是個「只有存在的存在」，是很不容易了解的世界。

雖然不易了解，卻有引人神思的美感存在。美感是心靈的感知，而非用腦筋可以詮釋。<u>心靈的頻率高出腦筋很多，要感知高次元世界只能靠心靈，而非想像。</u>這是心電感應的原由，以及一心念佛，就能與古今中外念佛人的磁場共振的原因，那磁場我們稱為極樂世界。

有與無是一體的，
所以寫了等於沒寫。

明世界與暗世界如此緊密地交纏在一起，可以說明中有暗，暗中有明，人置身其中，我們可以快樂地與人交往，也在獨我中，安享那孤寂的自在，使兩者合而為一才是全意識的生活方式。記得年輕時，在與友歡樂後，一人走路回家，迎風而來，會有一種孤零零的孤寂感。那孤寂感像是蘇東坡「倚杖聽江聲」的心情。這時的心情，就是全意識的關照，問題是我們能不能把這全意識的關照，延伸而為生活的全部。

心經是引領我們以全意識觀照來生活的法門。當年玄奘印度取經，一路上就靠心經的觀照，使陰魔鬼怪不敢欺身。後來，日本第十八次遣唐使來華，五艘船海上遇颱風，沉了三艘，唯有最澄與空海的兩艘被救。相信這不是他們有神通，而是跟玄奘一樣，是心經的觀照。其背後的智慧與毅力所使然。

我喜歡在睡前默持幾遍心經，然後以二十一次心經神咒圓滿成眠。我常未持完就已睡著。這方法很棒，希望你也試試。心經不僅帶引我們回歸全意識深處，而且諄諄善誘，一開始就告訴我們，色與空是一體的，然後一路無到底。提醒我們在全意識中，有與無也是一體的。如是推而及於，明世界與暗世界也是一體的，所以整個宇宙是相同的一體。

因此人的生命與宇宙的大生命也是一體的，人的小生命真的是宇宙大生命的分流，所以，宇宙不生不滅，我們也是不生滅的。在不生不滅生命長流中，讓自己更為進化。小生命進化，也將有助大生命進化，相信這才是生命的終極真理吧！

我只是個小小生命，
我也能改變世界嗎？

師父說，喫茶去，
　喝咖啡也一樣吧！

咖啡的玄想

喝咖啡是訓練我們回到覺知源頭的方法。

咖啡的學問很深，說也說不完，咖啡有一股魅力，令人喜愛。一杯熱熱的咖啡在手，還沒喝，全身就馬上放鬆下來。因此，我一直認為咖啡是有生命的，面對有生命的咖啡，我們必須以生命相待。喜歡它，敬它，愛它，甚至跟它講話，這都是很正常的事。咖啡不是尋常飲料，而是心靈的慰劑。

就像玫瑰送人，手留餘香。餘香在手，乃因送人玫瑰，小我不見了。咖啡也一樣，咖啡在手，心胸放開，小我也不見了。兩件事，表象不同，內在反應卻一樣。仔細思考其背後原因，就知道關鍵在小我是形而下，物質化的我。只要將小我的局限打開，成為形而上的大我，那麼喝咖啡的心情，就提升為形而上的心情了。

由小我而大我，要先安靜下心來，不生妄念，沒有期待，只靜靜地看著咖啡。看那煙，裊裊而上，把心思帶走了。這就是常人所說的忘懷、忘憂與忘我。其中忘懷與忘憂都是常人的感覺，我想

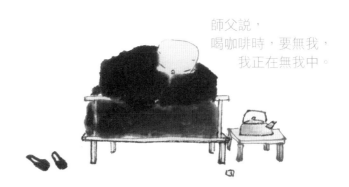

師父説，
喝咖啡時，要無我，
我正在無我中。

將重點放在忘我。忘我的「忘」，即是莊子所講的「坐忘」，可惜莊子當年沒有咖啡，否則他也會高談闊論咖啡的事。

<u>喝咖啡忘我，要像抱嬰兒親親的忘我。那時，自己不見了，只覺絲絲的歡喜在心頭湧現。</u>這身體的不見，很難形容。或可比喻，好像感官都已透明，只有歡喜在身心流動。這透明的觀念，並非我今日獨創。早在莊子的心齋，就言及「勿聽之以耳，而聽之以心。勿聽之以心，而聽之以氣」。用現代的話來說，就是感覺像玻璃一樣都透明了，而機能仍在。

當感官透明了，就可開始喝第一口咖啡。第一口要小小的，由舌尖而入，使咖啡的溫暖與煙的清香，交織成充滿韻味的感受。不同的人喝咖啡，涵養不同。時間不同，心情也不同。那不同使每一杯咖啡喝起來，感受都不同。

太陽的移動，每一剎那都是生命
的光芒。

就像每天的太陽不一樣，每一杯咖啡滋味也都不同。所以我想建議以內觀的方法來喝咖啡。「內觀」是佛法的重要法門之一。當一口氣進來，必須清楚覺察，那涼涼的空氣如何涼涼入肺，以至全身毛孔以及手腳末端。這種覺察的功夫，愈細微愈好，若能隨時覺察鼻尖，空氣冷暖的進出而不忘，便已是內觀的入門了。

以內觀的方法來喝咖啡，將喝咖啡當修行，一舉而兩得，豈不更佳。喝第二口時，可以稍多喝一點。第一口由舌尖而入，在品其清香，第二口在嘴裡轉一圈，是品其濃郁。不論清香或濃郁，重點在覺知不可以被拉走。**覺知是生命的源頭，眼耳鼻舌身，不論動用哪一個官能，覺知都必須清清楚楚地在背後存在。**

我們為什麼要如此品味咖啡，因為咖啡裡有地球的能量。聽說地球有個大太極，東方太平洋是海洋太極，夏威夷是海洋太極的黑點。而西方歐非大陸是陸地太極，衣索比亞是陸地太極的白點。這兩個地方，都是地球太極的能量中心，也都生產了世界最好的咖啡。這使我相信，咖啡的功能一定是來自地球的能量。

有趣的是，把夏威夷與衣索比亞拉一條直線，直線與地球太極中央的Ｓ線相交，交點就是台灣。荷蘭專家來台測量說，台灣是全世界能量最高地方。依此看來，台灣應也可以生產很好咖啡。咖啡的能量來自地球，怪不得喝咖啡好像光腳接地一樣，一下子就神清氣爽，可以放鬆身心。

放鬆是生命的休止符，沒有休止符，音不成曲。生命是一條漫長的路，慢慢地走，愉快地安享這生命的美好。喝一杯咖啡吧！將生命之歌好好唱下去。

生命的美，像瓶花。
每一瞬間，都有不同的意涵。

咖啡的玄想 2.0

喝咖啡是在吸收大地的能量。
那接地的充實感，像是心靈的撫慰。

咖啡當前，心思飛揚，揚帆而去，靜不起波。

沒想到「咖啡的玄想」登出後，反應意外熱烈。可見喝咖啡的人還真不少。我不是提倡喝咖啡，只想提醒大家如何善待咖啡。幾十年前，我們引進星巴克、開發左岸咖啡、在7 - eleven推出 city cafe，如今咖啡店已遍布台灣各角落，儼然是咖啡大國。但咖啡並非尋常飲料，咖啡含藏許多大學問，我們喜愛咖啡，就要好好了解咖啡的事。

喝咖啡是在吸收大地的能量。那接地的充實感，像是心靈的撫慰。而且咖啡的能量，不止與各地的地氣有關，沖泡咖啡的水也扮演了很重要的角色。喝水暢快如咖啡，水與咖啡真是絕配，要不要試試看，喝完咖啡，再喝一杯清水，韻味與咖啡不相上下。

水的學問也很大，如能選好的水喝，對身體會有好處，我們最好能選小分子的水喝。年輕人細胞膜內的水分與細胞膜外面，皆保持相同比例。如果變成0.8比一，便會產生老化現象。小分子水較容易吸收。以小分子水泡咖啡，味道顯然不同。小分子水來自長時間經過麥飯石慢慢滲透，麥飯石毛孔很細，可以使大分子團變小，喝起來純淨，而且有益健康。

咖啡與水的能量，都來自大地。不同地方，地能不同，咖啡口味也不同，有趣的是，如攤開地圖，便會發現地球是個大太極。太平洋的海洋太極，夏威夷是其上黑點。歐亞大陸的陸地太極，衣索比亞是其上白點。這兩個地方都生產了很好的咖啡豆。如將黑白兩點連為一直線，直線與地球太極Ｓ線相交，交點就是台灣。台灣是地球太極的能量中心。荷蘭專家來台測量說，台灣是世界能量最高地方，其緣由來之有自。

台灣應能種出好咖啡，使臺灣的地氣，以咖啡為媒介，提高咖啡水平。目前台灣的咖啡店已到處林立。也不知道是什麼原因，茶有茶道，咖啡好像沒什麼咖啡道。這是很可惜的事。所有咖啡店，都只在裝潢上標新立異，而不在品味咖啡的藝術上用心。咖啡店的風格，呈現著經營者的品味。我在義大利去過一家咖啡店，不僅典雅大方，在桌上還擺有紙筆，希望大家留言，寫下自己的心得或靈感。可惜我不懂義文，光是這文質彬彬的感覺，就叫人喜歡。

自由飛翔，像飛鳥，鳥也知道禪嗎？

談到這裡，便可以再談點遙遠而重要的事了。佛經說，人來自二禪天的光音天。光音天的人是一種精神體，沒有肉身，可以在太空隨意漫遊，他們以光為語言，我們現在的靈感或心電感應，或是來自光音天的本能。有人漫遊到地球，看到地球藍綠發光極為美麗，遂下來玩玩。但見水光瀲灩，便喝上幾口，其味甘美，無與倫比。卻因吃了地味，身體變得濁重，回不去了。

地味是什麼？論述雖多，現已不可考，人如確實來自光音天，光音天的記憶雖已不在，<u>其天賦的本能卻仍在我們心靈的深處深藏</u>。今天，我們的靈感與心電感應，也許是光音天的恩典也說不定。因此，我們如以體會地味的心思來喝咖啡，地味的感覺雖然說不清楚，那只能領悟不能言說的說不清楚。不就是我們所說的禪意嗎？<u>原來禪是光音天的心光本能，而不是宗教名詞。</u>

所以，<u>喝咖啡要有一點禪意，當然喝水或其他飲料也一樣。</u>體會<u>地味的真味，是我們回歸光音天的不二法門</u>，相信當年黃帝的羽化而登仙並非神話，而是因為他知道了這門竅。

朋友，以此心思喝咖啡吧！這是我從咖啡學到的另一件事。

師父說，喫茶只是喫茶，
沒有其他。

超脫時間的糾纏就是天堂

有念頭就有座標，座標有前後，時間感就出現了。

我們生存的物質世界是三次元空間，是形而下的。五次元以上是形而上的精神世界。時間虛無飄渺，好像在，又好像不在。這現象幾千年前，就困惑了人們很久。奧古斯丁在懺悔錄中說，當我測量時間，我是在測量當下在腦內存在的東西。亞里斯多德也提出，如果什麼都沒改變，時間就不存在。我們真的不可小看古人的智慧。

時間因事件的變遷而被感知。如果腦中不生念頭，不生妄想，時間的感知就消失了。但人不可能沒有念頭，有念頭就有座標，座標有前後，時間感就出現了。念頭有兩種，一種是我做主的念頭，一種是我不能做主的念頭。前者是覺知，後者是妄念。覺知清明，時間不存在，妄念昏暗，人就受制於時間。

打坐入定，剎那即永恆。一覺成眠，長夜隨即忽過。演講精彩，時間感不在。課堂無趣，度日如年。這些都是時間虛幻的原因。而且，心情不同，興趣不同，不同的人，時間感覺也不同。甚至，當兩人聊天，兩人的時間感也都不一樣，這些都是我們在生活中熟知的事。

時間也會因質量大小與時間快慢變化而有變化。科學家都已測量出來，在地面的時間比高山走得慢。腳也比腦袋衰老得慢。這都是與地球的引力相關。太空艙的光速，加上艙的飛行速度，其速度就比地上光速快。以相對論的公式算出來，速度快，時間就變慢。所以太空人比地面上的人衰老得慢。

我們再來看看地球的自轉與時間的關係。地球由西向東自轉，子時東方開始面向太陽，這時太陽光速需加上地球自轉速度，使東方光速大於平常光速。而西方剛好相反。所以早上光速比傍晚快，早上遂比晚後老得慢，所以早上生氣勃勃。晚後就顯得羅曼蒂克。或許，由此而推，東方人應該比西方人衰老得慢。

十八世紀萊布尼茲認為時間不能單獨存在。他把自己名字中的「T」拿掉，表示從此不被時間束縛。我在退休後也不戴手錶了，經驗告訴我，工作壓力不在工作的繁重，而在時間的壓迫感。退休了就不需要有行程，也是個解脫。我幾十年的行程簿，太太都把它保留得很好，一本一本疊起來像高塔。這塔仰望天空，似向

我也不帶走一片雲彩。

人們炫耀過往的歷史。我呆呆看了很久之後，然後笑一笑，方才體會了什麼是「不帶走一片雲彩」。

退休，是新生活的開始。沒有手錶，沒有行程。這山中無甲子的感覺，正是愛因斯坦所說的時空不可分割。時間代表著空間，有空間感就有時間感。不戴手錶，不追行程，這才是真正退休的意涵。其關鍵全在於心靈的負荷。沒有負荷就沒有壓力。想到這裡，我忽醒覺，原來這正是修心的竅門。其實，不必等到退休，工作中也可以沒有心靈的負荷。這不就是惠能所說的一行三昧嗎？

一行三昧，意在心不起妄念。心的覺知只在當前事物上。「事來而心始現，事去而心隨空」，心不為外物扭曲，故稱之為直心。心能直，自然沒有時間的干擾，所以行住坐臥皆在定中。靜也定，動也定，這不就是「動靜二相了然不生」的觀音法門嗎？有人說惠能是佛法與中華文化的結合體，而稱之為「中華禪」。

267

不論佛法或中華禪，凡是人類都須依它來解脫時空的糾纏。沒有時空的糾纏，自然而然，人就在第五次元中，安享那更高能量次元的喜樂與智慧。這使我想起，或許，我們可以取巧，以第五次元的心靈來做第三次元的事情，那麼我們不就擺脫了時空的困擾，像悟道的人一樣「日理萬機心不動，歡喜處世濟蒼生」了嗎！

我終於知道，第四次元的時間是一種門檻，跨過去了就是天堂。怪不得心經告訴我們，「揭諦，揭利，波羅揭諦，波羅僧揭諦，菩提娑婆訶」。超越，超越，超越過去吧！忘掉時間的糾纏，進入慈悲與愛的第五次元，這是生命圓滿的天堂。

師父說：
日理萬機，心不曾動。

弘一大師將心內的兩點，一點點在心內，一點點在心外，似乎暗
示著修行人心中只有本心，不要有意識心。

心是什麼？

本心的清淨，一如宇宙天地的清淨，
　　　清淨如鏡，互相映照。

心物一體，所以這些都是我的心中物。

自古以來，談「心」的人很多，心是什麼？還是不很清楚。經年累月下來，像「心物一體」，「萬物唯心造」的哲學語言，也已逐漸成為生活中的口頭禪。故有百姓日用而不知的感嘆！

多年前去訪泉州開元寺，看弘一大師遺蹟，在「悲欣交集」的悵然中，導遊帶我去看大師寫在矮牆上下的「心」字。那心上兩點，大師把一點點在裡面，一點點在左下外面。我凝視良久，試揣摩大師的旨意。

大師似在提醒，裡面的一點是本心，外面的一點是意識心。<u>本心是一元的，意識心是本心的二元化。一元的本心是禪宗講的本來面目</u>。這父母未生前的本來面目，是與宇宙天地同為一體的高能量。也是佛法所說的是法界。法界是一元的，世界是二元的，二元是太極兩分以後，陰陽相對形成的世界。

二元世界是一元世界投射出來的幻影，像螢幕上的幻影。我們的人生只是虛幻的幻影而已。而凡人不知，仍執以為真。佛陀說的

一大事因緣，旨在苦口婆心，告訴人們這一件事。其實，佛法很簡單，只在聽懂佛陀的這一件事而已。

佛法把本心比喻做鏡子，鏡子物來則應，物去隨空，非常清淨自然。本心的清淨，一如宇宙天地的清淨，也如佛陀心靈的清淨。清淨的意思是永遠安住在一元本心的當下，沒有任何意識心的干擾。所以佛眼看人間，人人是佛。我們的本心也清淨自然，我們看人間，也應人人是佛。我們都是佛。

我們都是佛，我們以佛眼看天下，妄念不見了，時間不見了，意識也不存在。在這一元的當下，心的兩點，合而成為一點，終於消失於空無。那空無的回歸，梵語稱為禪。禪引導我們回歸本心。不了解禪，便無法了解禪宗的公案。常人一看公案，就一頭霧水，因為意識心的邏輯，無法進入本心的非邏輯。

例如：百丈公案看到野鴨子飛過去了，百丈就說野鴨子飛過去了。師父看出這並非百丈本心的反應，所以捏了百丈鼻子一下，而使百丈大悟。又例如：惠能回到廣州，在法性寺看人爭辯，幡

明明是幡動，怎麼說是心動呢？

旗的飛動，是風動或是幡動，惠能說都不是，是仁者心動。風動或幡動都是意識心角度不同的爭議。有人說，<u>惠能是像法時代，佛陀再來，似有道理。</u>

也是多年前，去石家莊訪廠，順便去看了趙州「庭前柏樹子」的現場，我在柏樹子下，似有當年公案現場的能量共振，一下子了解趙州回答「祖師西來意」的詢問。祖師西來，帶來了佛陀拈花微笑，生命喜悅的當下，這當下的喜悅，也是柏樹子下趙州喜悅的當下。

這當下，與看到野鴨子的當下，與仁者心動的當下，與所有古今中外，回到本心的當下，都是同一個當下。<u>當下即永恆，是與宇宙長存的存在，同一個存在。</u>本心是生命的體，本心當下的鏡照是生命的相，本心因當下而起的作用是用。生命體相用俱全。這就是壇經所說的「何期自性，本自清淨，何期自性，本自具足……」

唐朝是文明很發達，人心也很複雜的時代，所以佛陀借惠能之身再來，來告訴人們佛法很簡單，領悟本心而已。不需文字語言，不需智識學問，只要領悟本心就好了。如今，又已千年過去，進入末法時代了，尤其在世界村到來的現在，在東西文化的矛盾中，如何以這回歸本心的佛法，引導世人走向坦途，是我們今日最大課題。

自從搬到郊外，很喜歡在清晨及傍晚時分，在大樹下長坐。看著朝陽初白，看著晚霞冥落。在絕對的寧靜中，體會本心的當下，那似禪非禪的感覺很美，像在寫詩。忽然想起李商隱「天意憐幽草，人間重晚晴」的詩句。這憐幽草的「憐」，與重晚晴的「重」，可以是意識心的分別，也可以是本心的當下觀照，端看每個人的本心是否呈現。或許，弘一大師想透露的，就是這個消息吧！

參不來，仍要參。

喜悦是宇宙的靈光。

安住本心的喜悦

祥和會讓人心生喜悦，因為喜悦是宇宙心本然的容光。

大自然，自自然然，非常純淨。雲飛鳥叫，花開蟲鳴，都是大自然祥和的現象，甚至動物弱肉強食也只是天性。天性是宇宙原始的面目，那面目我們稱為宇宙心。宇宙心表現在雲為悠然，在鳥為愉悅，在蟲為生機，在花為豔麗，在動物為生命。綜合起來說是祥和。<u>祥和會讓人心生喜悅，因為喜悅是宇宙心本然的容光。</u>

宇宙心是宇宙創始時的本心。人也有本心，但在進化中有了意識，意識能分別事物，遂把本心的一元，分化為二元。於是美或不美，善或不善的分別念掩蓋了本心。本心不見了，意識心成為生命的主流。從此，人以意識心來生活，不再記得本心才是人與宇宙相接的本來面目。

聖賢是能安住本心的人。安住本心，由本心來看世界，生活與生命才不會分家，<u>金剛經的「應無所住而生其心」就是在提醒這件事。</u>前面的無所住，是不被意識心牽住，後面的生其心是呈現本心來看世界。<u>本心如鏡，靜靜地觀照，觀照萬物而不動不搖。</u>

達摩西來，傳的是這本心的消息，可惜梁武帝不會，而神光會了。會了才能安心。從此，安心成為禪宗代代相傳的法要。本心無形無色，無法描述，所以，禪法玄虛，只能以心傳心，心領神會。惠能說：「不識本心，學法無益」，開悟不難，只在識得本心而已。但開悟不是證悟，證悟是在開悟之後，行諸日常生活中，終有一天，身心脫落，才是解決了人生一大事。

孔子是證悟了本心的聖者，他把格物列為八綱之首有其深意。修心要能隔除意識心的分別念，回歸本心，以本心觀照，觀照是致知。然後誠意正心，才是明白本心之後的第二步。後世賢達忽略了本心，只重在誠意正心，遂成為學識，而非生命的究竟。

從本心看世事，是要從能量的細微處下手。記得年輕時候，每年要進出大陸一二十趟，蓋了幾十個工廠，也走遍大江南北，我每到一個地方選址，總要先向土地公或地基主祈禱問候，如果三天平靜無波，才決定廠址。這不是宗教，也非迷信，而是對微細能量的關注，這常是決策成敗的關鍵。

識得本心，與本心遊於「物之初」。

地基主或土地公是該地方微生物的總稱。微生物在地球已有三十六億年歷史，是人類老祖宗的老祖宗。當我們開疆闢土，有了廠地、道路、農田，城市占用的都是微生物本來的生存空間。他們被趕走了，無處可去，遂成為人類疾病的來源。歷史上，黑死病、伊波拉病毒、炭疽熱、雞瘟、豬瘟……都是微生物的反彈。

微生物是最接近地球本心的初始生物，我們必須把它當朋友，而非敵人。現在疫情猖獗，用多少科技也很難將它平息。我們要從本心來看病毒，而非用科技的敵意來消滅它們。只要我們心地祥和喜悅，把病毒當朋友，否則心懷敵意會降低自己的免疫功能。尤其，現在的病毒比病菌更為原始，其大小只有病菌的千分之一，所以它們與病菌不同，它們是被高科技的4G、5G、6G等高次元能量打擾了生存空間的反彈。

現在的虛空滿布電磁波，已非原來大自然的虛空。人類已失樂園，我們還能不反省嗎？只希望思想家、哲學家、企業家、文化人……站出來好好呼籲，應該是人文領導科技的時代了，否則疫情是不容易平息的。

由二元的意識心，回歸一元的本心，時時以本心觀照五蘊皆空，把內心拈花微笑的喜悅找回來。那喜悅是生命的本來面目，也是佛陀傳給迦葉，傳到達摩，傳到惠能，傳到今日我們身上的禪法依歸。所以，安住本心吧！安住本心的喜悅才是生命的終極方向。

掃地時，也要安住本心，才有歡喜。

師父說，喝茶要心中無物！

茶與禪

泡茶人以佛心泡茶，喝茶人以佛心喝茶，
茶堂是心中無物的道場。

談茶，必須從心靈的最微處來談。否則古今談茶的人太多，不必多一個嘮叨。平常，大家引用西方方法，把心分成表面意識與潛意識。這方法很邏輯，而不實際。我們要從心靈最初的微細處來分，將起分別念前的本心，與分別念之後的意識心分開來，比較清楚有用。

意識心是本心的幻象，是腦筋的物理性反應。如電影一般，虛幻非實。而幾乎所有人類，都以意識心來生活。只有古來聖賢，才知道以本心觀照。本心如鏡，依實映照世事，不被腦筋扭曲。我們如能以本心直觀喝茶，才能領略那茶中微細風光。

萬物皆有其發端本心，這本心與宇宙最初的本心相映。萬物因而有了生機，那生機與宇宙同根。我們如以敬愛之心，敬愛萬物，我們同時也在敬愛宇宙。「敬」與宇宙的心靈同心。喝茶也一樣，敬茶如敬天，則茶味更美。

這也是古來君子「主敬」的原由。「敬」由本心直道而行，不被妄念扭曲。沒有扭曲的心境，也就是禪家所說的禪。由敬入禪，

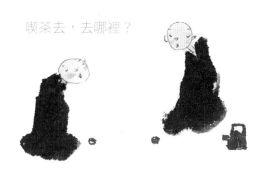

喫茶去，去哪裡？

敬即是禪心。人有禪心，物有禪心，茶也有禪心。神農嚐百草，日遇七十二毒，得茶能解。原因是不管七十二毒是什麼毒，其毒之禪心，也一定潔淨無毒。茶只是藥引，將毒性引向潔淨的禪心而已。

茶性如此敏銳，我們何不利用其敏銳，恭敬喝茶。敬茶之心將隨茶入於本心，與本心相映之茶味，才是茶之真味。所以，心情不好，喝茶傷身，有其道理。聽說八七水災時，當地茶味有滄桑感。金融危機時，茶味有深沉無力感。茶性如此敏銳，有如解語花，我們或許也可以在喝茶時，將心願訴諸於茶，就等於訴諸於天。

喝茶時，先靜下心來，在默默中與茶交心。這種形而上的喝法，是禪宗為什麼以「喫茶去」為偈語的真義。敬以喝茶，茶入禪心，本心即現。惠能說，「不識本心，學法無益」。凡人為意識心的妄念所纏，如能靜下心來，喝一口好茶，意識心將隨即回歸本心。這是常被喝茶人忽略的妙旨。

侘寂如松，自自然然，隨風歡喜！

靜心喝茶，由靜而敬，敬而使茶有道場禪風。這禪風於唐宋東渡日本，由榮西到村田珠光，其喝「侘茶」理念遍及日本，建立「侘寂」的日本文化。「侘」是缺憾中樸素之美，「寂」是歲月斑駁留下的光芒。「侘寂」的氛圍，使人由繁華回歸無我的內心。傳到千利休，更提出「和敬清寂」的茶道精神，使茶在日本成為日本文化的精髓。

和者：主客靜下心來，在簡潔高雅茶堂，和樂融融。水沸聲中，每個人都在期待茶香的氛圍中忘我。

敬者：主客相敬同心，敬茶之心油然而生。身心逐漸鬆開，如是氛圍使雜念淡去，替代而來是茶之意境滿布茶堂。

清者：不論主客皆已心清如水，如水之心隨著茶的流動而流動。茶堂已是心中無物的道場。

寂者：茶堂逐漸延展成為廣大虛空，笑談如風，水聲似雨，風來雨去，虛空寂然不動。不動者，主客同心，同在「茶禪一味」的虛空不動也。

茶禪一味，已入佛境。<u>泡茶人以佛心泡茶，喝茶人以佛心喝茶，茶堂似道場，人人是佛</u>。佛眼看人間，處處是佛境。青山水秀，喝茶而入此化境，豈非茶之道，已然昇華而為人間佛境乎！

這是理想中茶經，台灣喝茶之風甚盛，可惜皆在意識心的交纏中喝茶。要不要也體會一下這「茶禪一味」的喝法。妄念是生命的毒草，相信神農絕不我欺。喝茶能斟此意境，當是我中華文化獨步於世的最好貢獻了。

茶禪一味，一味即是佛境。

兩人相對，最好喝茶。

隨便想想2.0

台灣應以其文化素養，來引領人類往前走

作　　　者	林蒼生
書　　　畫	李蕭錕

責 任 編 輯	蕭亦珊、林宜蓁
美 術 設 計	阿 P、莊媁鈞、趙明強

法 律 顧 問	建業法律事務所
	張少騰律師
	地址：臺北市 110 信義區信義路五段 7 號 62 樓（臺北 101 大樓）
	電話：886-2-8101-1973
法 律 顧 問	徐立信律師

監　　　製	漢湘文化事業股份有限公司
出 版 者	和平國際文化有限公司
	地址：新北市 235 中和區建一路 176 號 12 樓之 1
	電話：886-2-2226-3070
	傳真：886-2-2226-0198

總 經 銷	昶景國際文化有限公司
	地址：新北市 236 土城區民族街 11 號 3 樓
	電話：886-2-2269-6367
	傳真：886-2-2269-0299
	E-mail：service@168books.com.tw

出 版 一 刷	2022 年 06 月
定　　　價	依封底定價為準

香 港 總 經 銷	和平圖書有限公司
	地址：香港柴灣嘉業街 12 號百樂門大廈 17 樓
	電話：852-2804-6687
	傳真：852-2804-6409

國家圖書館出版品預行編目 (CIP) 資料

隨便想想2.0：台灣應以其文化素養，來引
領人類往前走/林蒼生著. -- 初版. -- 新北市：
和平國際文化有限公司, 2022.06
　　面；　公分

ISBN 978-986-371-345-6(平裝)

1.CST: 言論集

078　　　　　　　　　　　111002455

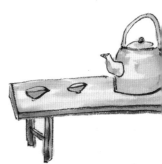

168閱讀網
www.168books.com.tw

人的心，與萬物同心，與世界同心，
甚至與宇宙同心，
人是宇宙大生命中的小生命，
小生命與大生命無別。

所以，凡事要正面思考，
以正能量幫助宇宙，增進未來的美好。

～當下即是永恆～